MW00437286

De oídas

Peter y Paul Lalonde son líderes en ofrecer información fascinante, completa y fidedigna sobre el cumplimiento profético en esta generación.

Hal Lindsey, autor, *La agonía del gran planeta Tierra*

Peter y Paul le estimularán a vivir como si Cristo viniera mañana.

Jack Van Impe, Jack Van Impe Ministries

Este es el más importante libro de profecías desde *La agonía del gran planeta Tierra.*

Arno Froese, Midnight Call Ministries

Si quiere saber lo que ocurre en el mundo de la profecía bíblica, debe leer a Peter y Paul Lalonde.

David Breese, Christian Destiny Ministries

Peter y Paul están a la vanguardia de la profecía bíblica actual.

Paul F. Crouch, presidente, TBN (Trinity Broadcasting Network)

Disfruto plenamente los escritos de Peter y Paul y encuentro en ellos una constante fuente de información e inspiración.

Tim La Haye, presidente, Family Life Seminars

El ministerio de Peter y Paul tiene un papel vital en el despertar de la iglesia ante el rápido cumplimiento de las señales de la pronta venida del Mesías.

Grant Jeffrey, Frontier Research Publications

A nadie he conocido que como Peter y Paul Lalonde tengan la habilidad de tomar las profecías bíblicas y hacerlas completamente comprensibles para quienes les oyen.

Pat Matrisciana, Jeremiah Films

Creo que las ideas que recibirán de los escritos de Peter y Paul los emocionarán y los dejarán maravillados.

Ray Brubaker, *God's Behind the News*

2000 D.C.

Peter y Paul Lalonde

Betania es un sello de Editorial Caribe,
Una división de Thomas Nelson, Inc.
© 1998 EDITORIAL CARIBE
Nashville, TN – Miami, FL

www.editorialcaribe.com
E-Mail: editorial@editorialcaribe.com

Título en inglés: *2000 A.D. Are You Ready?*
© 1997 por *Peter Lalonde y Paul Lalonde*
Publicado por *Thomas Nelson Publishers*
Traductor: *Pedro Vega*

ISBN: 0-88113-503-8

Reservados todos los derechos.
Prohibida la reproducción total
o parcial de esta obra sin la debida
autorización de los editores.

Impreso en EE.UU.
Printed in U.S.A.

Contenido

¡TAMPOCO LEEMOS LOS PREFACIOS!

(PERO POR FAVOR LEA ESTE)

Si la profecía bíblica se está cumpliendo realmente en esta generación, y estos son en verdad los últimos tiempos, ¿se ha preguntado por qué Dios ha permitido que usted viva en este momento culminante de la historia? Después de todo, podría haber ordenado que naciera en cualquier tiempo, en cualquier siglo. Pero decidió que viviera en este tiempo.

¿Ha pensado que los profetas deben de haber soñado con vivir en la tierra en estos días? ¡Cómo habrán anhelado ver las cosas que usted ve! Sin embargo, Él lo eligió específicamente a usted, no a ellos, para que tenga un asiento en primera fila en el tiempo de su gloriosa venida.

Creemos que Dios tiene una razón para todo. Creemos que Él le puso en este tiempo especial de la historia por una razón. Puede ser para que gane a muchos o a unos pocos para su Reino en este tiempo. Pero una cosa es segura: Dios quiere que entienda lo emocionante y urgente del tiempo en que vive.

UNA FORMA TOTALMENTE NUEVA DE CONSIDERAR LAS PROFECÍAS BÍBLICAS

Para eso se escribió este libro. Queremos ayudarle a entender el día en que vive de una manera nunca antes vista. Queremos ayudarle a ver la profecía bíblica con ojos completamente nuevos.

Por largo tiempo, cuando la gente hablaba de profecía bíblica, no pasaban de los terremotos, las hambrunas y las guerras. Ahora, por cierto, estas son partes del escenario del tiempo del fin, pero hay mucho más en el plan de Dios que se ha pasado completamente por alto. En efecto, podemos garantizarle esto. Oirá cosas en este libro que nunca antes había oído. Considerará las posibilidades que nunca antes había considerado. Y cuando haya terminado, le habremos dado una visión completamente nueva de las profecías bíblicas.

PROFECÍA PARA UNA NUEVA GENERACIÓN

Ahora bien, no es que seamos inteligentes ni muy sabios. Se debe a que en nuestro tiempo podemos ver cosas que no se podían ver antes. Cosas que los profetas no podían entender. Como estudiosos de las profecías bíblicas, de poco más de treinta años, en este preciso momento de la historia se nos dio la habilidad de ver este mundo desde un ventajoso punto de vista. Significa que no solamente entendemos las Escrituras, sino además entendemos los mundos emergentes de la realidad virtual, del ciberespacio y de la red. Significa que vemos por qué a los miembros de una generación más joven los han atrapado *Viaje a las estrellas* y los ovnis y por qué esperan que ocurra algo grande. Significa que podemos ver cómo todo este planeta está cambiando y se prepara para el engaño como ningún estudioso de las profecía imaginó.

Creemos que tenemos el llamado al Reino en una época específica y con un propósito específico. Creemos que ese propósito es ser guías turísticos hacia el futuro. Queremos mostrarle lo que vendrá y cuándo vendrá. Queremos ayudarle a entender que aunque este mundo está cambiando de manera espectacular, la gente que lo habita, cambia a la misma velocidad.

SUS GUÍAS TURÍSTICOS HACIA EL FUTURO

Queremos que tenga una sensación de emoción, de expectativa y de comprensión de los tiempos en que vivimos. Queremos ponerle al día, para que pueda ver el desarrollo del plan de Dios delante de sus ojos.

Es nuestra más sincera oración que a medida que lea este libro, tenga una nueva visión de Dios y de la exactitud de su Palabra. Si lo hace así, tendrá una nueva comprensión bastante completa, no solo de nuestro mundo, sino también de la gran esperanza que tenemos por delante. Como Jesús dijo: «Cuando estas cosas comiencen a suceder, erguíos y levantad vuestra cabeza, porque vuestra redención está cerca» (Lucas 21.28).

¡EN SUS MARCAS!

Capítulo 1

«Hago ventanas» es actualmente el lema de un consultor de computación, no de un carpintero.

El momento que esperaba

Es una frustración devastadora que la mayoría de nosotros ha sufrido. Tratamos de conservar la calma, pero ante tal adversidad es casi imposible. Desde luego, hablamos de aquellos ocasionales fines de semana cuando en la mañana se da vuelta en la cama, busca el mando del televisor y... ¡descubre que las pilas se agotaron durante la noche!

Si no tiene pilas nuevas junto a la mesita de noche, le quedan solo dos alternativas. Definitivamente se levanta, o se da vuelta hacia el rincón y se vuelve a dormir. La idea de levantarse, caminar hasta el televisor y quedarse allí hasta encontrar algo para ver y luego estar dispuesto a ver ese mismo canal, soportando todos los comerciales, es algo que está fuera de la cuestión.

Imagínese que, hace veinticinco años, le hubiera dicho a alguien que iba a llegar el día cuando un hombre maduro frustrado preferiría mirar el techo de la habitación ante una circunstancia insoportable como esa. Mientras yace en la cama casi puede oír a su padre con su discursillo «cuando tenía tu edad».

O imagínese que hace cien años le cuenta a alguien:

—Sin duda puedo recibir imágenes directamente en mi dormitorio de modo que puedo ver al presidente que da su mensaje, un partido de fútbol o un anuncio comercial de treinta minutos sobre cierta máquina para hacer ejercicios.

—¡Ah! —dirían—. Es realmente asombroso.

—Supongo que sí, pero si tengo que atravesar la habitación para encender el equipo, ¡realmente no vale la pena!

La nuestra es una generación que se ha acostumbrado a esperar comodidades tecnológicas crecientes y no podemos imaginar la vida sin ellas. Por ejemplo, si por alguna razón los mandos fueran prohibidos, muchos pensaríamos en la posibilidad de tirar el televisor.

Esto nos conduce al argumento central del libro. Su tema es profecía bíblica. Guarda relación con nuestro tiempo, un momento único en la historia. Una época en que nuestra tecnología cambia rápidamente y en que nosotros también cambiamos.

Si podemos entender estos puntos (que estamos en un momento completamente único en la historia, en que la tecnología cambia rápidamente y que nosotros cambiamos con la misma rapidez), podremos comenzar a entender la profecía bíblica desde una perspectiva del todo nueva.

Es un mundo completamente diferente, Charlie Brown

Piénsese en lo que es la televisión. Todos la miramos. Pero, ¿tenemos idea de cómo funciona? La mayoría de nosotros puede responder: «No, a la verdad que no». Pero eso no nos impide que sigamos mirando. ¿Ha observado uno de esos grandes aviones de doble cubierta y se ha preguntado cómo es que ese aparato puede volar? Pero también, sin saber cómo funciona, los abordamos y casi damos la vuelta al mundo en ellos. Lo mismo es válido cuando encendemos la luz, cuando ponemos en marcha el auto o arrancamos el sistema de la computadora. Para todos esto no es un gran problema. Es parte de la vida en la era moderna. Seguimos la corriente. Pero no siempre ha sido así. Por ejemplo, en 1900, Harrods, la tienda de departamentos de Londres, Inglaterra, instaló un nuevo equipo completamente revolucionario. Lo llamaron escalera mecánica, y como las que usamos en la actualidad, llevaba a los clientes de la primera a la segunda planta. La gente no sabía qué pensar del nuevo artilugio. Les preocupaba lo que le pasaría a sus cuerpos si se sometían a un cambio tan rápido de altura.

Las preocupaciones eran tan grandes, que se servía un vaso de brandy a los que llegaban al piso de arriba. Ahora bien, no era un truco de ventas para dar publicidad a la tienda. Era para ayudar a la gente que se había visto sometida a la rápida ascensión de cuatro metros.

Por cierto, sabemos que no había efectos físicos por el cambio de altitud. Los edificios han tenido escaleras y segundos pisos por muchos siglos. Pero lo que tenía genuinamente asustadas a las personas era la nueva tecnología. De modo que la gente, obviamente, no anhelaba el último invento como los anhelamos nosotros menos de cien años después. Por cierto, temían cualquier tipo de cambio, mientras nosotros nos arrojamos a sus brazos que nos esperan.

Estuve allí. Lo hice. Compré la camiseta

Así que en la actualidad lo realmente sorprendente no es lo nuevo, sino la forma en que reaccionamos ante lo nuevo. Hoy en día lo nuevo hay que probarlo y hacerlo de inmediato. ¿Qué dice la publicidad? «Simplemente, hazlo» ¿Y cuál es la cantilena del día? «Estuve allí. Lo hice».

¿Piensa que hace cien años la gente habría estado dispuesta a pagar para atarse un elástico a sus tobillos y saltar de un puente hasta casi golpearse contra el suelo? Vivimos en un mundo que busca emociones, un mundo en que se busca la satisfacción instantánea. Esperamos con naturalidad cosas mejores, más rápidas y más nuevas. Parece que el problema fuera que nada llega tan rápido como para satisfacer nuestros apetitos. En la década del treinta cuando leían sobre Buck Rogers, los muchachos se preguntaban si iban a ser posibles los viajes espaciales durante su vida o la de sus hijos. En la actualidad, cuando vemos películas acerca de la realidad virtual, de viajes espaciales o de inteligencia artificial, nos preguntamos si esa tecnología irá a estar al alcance para la próxima Navidad.

Dos. Dos. Dos generaciones en una

Vivimos en un punto crucial de la historia. Vivimos en la generación que experimenta la transformación desde el atraso hacia la era espacial. Y esto ha ocurrido con tal rapidez que por un breve momento podemos ver que los dos mundos viven uno al lado del otro. Para los que estamos en la edad madura, la situación queda muy clara cuando comparamos a nuestros padres con nuestros hijos.

Piénsese en la diferencia entre el mundo en que nuestros padres vivieron y el mundo de nuestros hijos. Es el mismo planeta, pero cuesta pensar que así sea. Los niños hablan un lenguaje de megabytes, RAM, VR [realidad virtual], ciberespacio y la red. Estas palabras que pertenecen al corazón mismo de su mundo, casi no tienen sentido para una persona que esté bordeando los cincuenta años. Los abuelos de todo el mundo se quejan de que no tienen idea de lo que hablan sus nietos.

Todo esto indica hacia algo que es completamente único de nuestro tiempo. La explosión tecnológica ha creado la primera verdadera brecha generacional en la historia humana. En el pasado los niños se peinaban en forma diferente de sus padres, o escuchaban una música diferente. Pero en la actualidad, viven realmente en un mundo del todo diferente. Están enchufados, están en línea o miran este mundo con un lente que la generación mayor ni siquiera sabe que existe. Ah, sí, es un mundo nuevo, Charlie Brown.

Para probar su cociente de inteligencia, oprima control. alt. delete

Somos hombres relativamente jóvenes. Pero no hace mucho vimos la magnitud de la brecha generacional cuando estábamos en una tienda en Niágara Falls y mirábamos algunas computadoras nuevas. Somos individuos bastante tecnificados. Hemos vivido rodeados de computadoras durante años. Mientras observábamos uno de los sistemas de multimedios, dos niños, de unos diez años, estaban delante de nosotros. Comenzaron a conversar sobre la potencia de esta computadora, ¡y nos dimos cuenta que apenas entendíamos de qué hablaban! Era asombroso su nivel de sofisticación en cuanto a las complejidades de los modernos microprocesadores. Tenían diez años, y nosotros éramos los que estábamos aprendiendo de ellos. Esto ocurre en todo el mundo por primera vez en la historia. Quizás sea en parte la razón por la que están perdiéndole el respeto a los adultos. Piensan que no tenemos idea.

Un niño de cinco años podría entender esto. Manden a alguien a buscarlo.

Groucho Marx

En el programa *This Week in Bible Prophecy* [Esta semana en la profecía bíblica] se ideó una prueba que usted puede usar para determinar de qué lado de la brecha generacional se encuentra. Entre a su sala familiar y mire su equipo de video. Si el destello del reloj indica 12:00, ¡usted es parte del mundo antiguo! Si esto lo describe, la próxima vez que venga su hijita o su nietecita, pídale que le ponga el reloj en hora. Ella va a hacer un gesto con los ojos y en veinte segundos lo habrá hecho.

Finalmente, hemos llegado a un punto en la historia del mundo en que, cuando los abuelos cuentan historias de «cuando yo era niño», verdaderamente están describiendo un mundo muy distinto de aquel en que viven sus nietos. Los nietos no solo viven en una generación que es completamente exclusiva y distinta de la de sus abuelos; viven en una época totalmente diferente de cualquier generación en particular dentro de la historia.

De paso, si se pregunta por el subtítulo de esta sección, presione las teclas control.alt.delete en su teclado y reiniciará su computadora.

¡Ni hablar! ¿Es en serio?

Por notable que sea esta explosión de conocimiento en nuestra generación, nos gustaría que considerara algo que hace pensar más aun: Esta mismísima explosión de conocimiento se profetizó con exactitud y de manera específica hace más de dos mil quinientos años.

Así es. Una de las señales que la Biblia da acerca de los *últimos días*, y la más descuidada, dice que la última generación antes de la venida de Cristo vería un aumento grande y único en conocimiento. En efecto, en la profecía registrada hace más de dos mil quinientos años, el ángel dijo al profeta Daniel que en el tiempo del fin «la ciencia se aumentará» (Daniel 12.4).

Ahora bien, sabemos que el conocimiento siempre ha ido creciendo. Entonces, ¿qué indicaba el ángel como algo específicamente exclusivo del «tiempo del fin»?

Si mira la historia, cada generación ha edificado modestamente sobre el conocimiento adquirido por la generación anterior. Así cada generación era ligeramente más avanzada que la anterior. Pero el progreso era lento. Por ejemplo, el apóstol Pablo navegó en casi el mismo tipo de barco que trajo a Colón al nuevo mundo mil quinientos años después.

Compare eso con nuestro tiempo, cuando hemos avanzado desde el avioncito de los hermanos Wright al transbordador espacial en menos de cien años. Ese es un solo ejemplo. Todos podemos sacar de nuestras cabezas listas con docenas de ejemplos, porque somos una generación, la única generación, que ha sido testigo de un crecimiento explosivo en el conocimiento. Eso hace que esta generación sea diferente de todas las demás. En efecto, si es sincero, no puede negar que la descripción más significativa de nuestra generación es esa: el nacimiento de la era de la información.

El túnel del tiempo

¿Se acuerda de la antigua serie de televisión *El túnel del tiempo* que solía verse los últimos años de la década del sesenta. Nosotros veíamos el programa todas las semanas y luego corríamos afuera para jugar con nuestros amigos. En el patio nos sentábamos alrededor de un manzano silvestre e imaginábamos cómo sería tener una de esas máquinas. Para los que no tienen idea de qué estamos hablando, *El túnel del tiempo* era sobre dos jóvenes que tenían una máquina que podía transportarlos a través del tiempo, al futuro o al pasado. En el pasado podían revivir acontecimientos tales como el hundimiento del *Titanic*, la caída de Jericó y la batalla de Waterloo. Y en el futuro podían ver hacia dónde iba la tecnología.

En un episodio, viajaron hasta 1978, donde los dos «crononautas» (palabra inventada por ellos, no por nosotros) se esconden como polizones en un transbordador que viaja a Marte. Aunque al programa nunca lo nominaron para el premio Emmy, el concepto era fascinante, y como niños cada uno tenía diferentes épocas que nos gustaría visitar. Sin embargo, como muchachos, raras veces hablábamos de salvar al mundo, ni de detener una guerra antes que se desatase. En cambio, deseábamos ir al futuro para ver las respuestas de la prueba de historia de la próxima semana, o hacia el pasado para rectificar las respuestas de la prueba de historia de la semana anterior. Pero por ahora hablemos del poder de dicha máquina (no importa que sea imaginaria) para ayudarnos a entender a nuestra propia generación.

Imagine, si quiere, que puede retroceder en el tiempo, recoger un pasajero y luego llevar a esa afortunada persona en un viaje al futuro. Comenzamos poniendo el control de nuestro túnel del tiempo en el año 800 d.C. Encuentra un campesino que trabaja en su campo y lo convence de que sería una buena idea que lo acompañara en un viaje al futuro (afortunadamente no han inventado aún el fusil). Comencemos con un corto viaje, digamos, de cien años. El campesino queda asombrado por la tecnología de la época. Los campesinos «modernos» usan un nuevo artefacto llamado arado y labran el doble de tierra en la mitad del tiempo. ¡Ah! Es realmente maravilloso. Vuelven al túnel y esta vez emergen cuatrocientos años adelante en el futuro. Es el año 1300. Hay nuevos adelantos, por cierto: molinos de agua, mejores arados, un naciente interés en la ciencia, pero en la mayor parte del mundo hay poco que sirva para decirle a ese campesino que algo ha cambiado. Así que estamos quinientos años en el futuro y las cosas se ven iguales en gran medida.

Un panorama completamente cambiado

Ahora, dejemos a ese campesino de regreso en su tiempo y viajemos hacia el siglo diecinueve, digamos que a la década de

1890. Encuentra un mundo lleno de asombro que se maravilla ante los increíbles avances de la moderna era industrial. Máquinas de vapor, automóviles, máquinas de coser, teléfonos. Es un mundo asombroso, o al menos así piensa la gente que vive en él. Usted toma al primer campesino que encuentra (el primero que no lleve un fusil) y conversa con él sobre un corto viaje. Esta vez lo lleva hacia el futuro, digamos... unos veinticinco años. En este viaje no corre el riesgo de que el campesino piense que le mintió. Ahora están realmente en el futuro y están rodeados de evidencias: por encima de sus cabezas se elevan aeroplanos, la fábrica Ford está produciendo autos a un ritmo alarmante y una radio cercana está transmitiendo la voz de un hombre que está a unos setenta u ochenta kilómetros de distancia. ¡Cosas declaradas imposibles o que nunca se había soñado hace veinticinco años, ahora están por todo lugar!

En seguida, viajemos con el mismo individuo otros veinticinco años hacia el futuro, digamos, al año 1945. Bombas atómicas, empresas de aviación, motores jet, televisión... se da vuelta y descubre que su amigo campesino está de espaldas en el suelo. La vida se mueve con paso vertiginoso. Veinticinco años más y el hombre está en la Luna. Otros veinticinco años, y tenemos el transbordador espacial, las computadoras, el Internet, la TV vía satélite y suficiente poder nuclear para volar el mundo. Y no se ponga a pensar de dónde hemos venido. Piense hacia dónde vamos. Después de pasar en el lapso de una vida desde los hermanos Wright al transbordador espacial, es alucinante pensar en lo que hay a la vuelta de la esquina.

Como descripción fundamental de los últimos días es muy claro que podemos considerar que la profecía del «aumento de la ciencia» ha dado medio a medio en el blanco.

El comienzo de algo grande

Sin embargo, la profecía bíblica es más cautivante aun. Esta generación no solamente es completamente distinta de todas las anteriores. También es distinta de todas las que vengan después. Esto se debe a que puede dar un salto mayúsculo desde el atraso a la era espacial solamente una vez. No significa que no puede haber un aumento de la ciencia en el futuro; significa simplemente que no puede dar de nuevo el primer salto grande. Eso es lo que hace que esta generación sea irreemplazablemente única: cuadra a la perfección con la descripción del ángel.

Considere esto: la mayoría de los expertos coinciden en que la suma total del conocimiento humano, todo lo que sabemos como género, ¡se duplica cada dos años! Es una estadística abrumadora. Dicho de otra manera, ahora sabemos el doble de lo que sabíamos hace dos cortos años, y la mitad de lo que sabremos dentro de dos años.

Una reciente encuesta Gallup reveló que cuarenta y seis por ciento de los estadounidenses sentían que se estaban quedando atrás en el saber tecnológico. ¡No es broma! Es posible que quienes componían el otro cincuenta y cuatro por ciento no fueran sinceros consigo mismos.

> ***Dentro de quince años en el receptor de su teléfono habrá una micropastilla con más potencia computacional que toda la tecnología que el Ministerio de Defensa de Estados Unidos puede comprar en la actualidad. Todo el conocimiento escrito del mundo estará en una de esas cosas que suele encontrarse en la cartera de un colegial.***
>
> ***Howard Rheingold, de Tools for Thought***

¿Cómo puede uno mantenerse al día cuando el ochenta por ciento de los científicos que han existido viven y trabajan en la actualidad? ¿O cuando el poder de proceso de la computadora se duplica cada dieciocho meses? ¿O cuando el total del conocimiento, todo lo aprendido desde Adán hasta ahora, se duplica cada dos años? Sin embargo, de alguna manera, un profeta hebreo que vivió en Babilonia hace 2500 años vio anticipadamente todo esto.

¿La NASA o Viaje a las estrellas?

Todos estos grandes adelantos y descubrimientos han impactado profundamente sobre la humanidad de modo que ha sobrepasado la esfera de lo tecnológico. Nos han infundido un nuevo nivel de confianza. Ahora creemos que todo es posible. Y con tantos sucesos en tantos campos, ¿quién puede controlar lo que es una teoría y lo que realmente se ha descubierto y comprobado?

Añádase a esta mezcla una medida colmada de ciencia ficción y tendrá la receta para una confusión masiva. En nuestro mundo mucha gente ya no sabe dónde queda la línea entre un hecho y la fantasía.

No hace mucho tiempo conversábamos con un grupo sobre los avances de la ciencia moderna. Alguien comenzó a hablar de las últimas investigaciones que se hacían en el transbordador. «¡Eso es imposible!», dijo uno de los científicos. La primera persona se detuvo por un momento y entonces con un gesto de humildad en su rostro dijo: «¡Ah, tienes razón! Lo vi en Viaje a las estrellas. Lo siento».

Debido a la abrumadora influencia de la ciencia ficción en la televisión y en el cine, aun ahora se puede decir que la ciencia nunca podrá sorprendernos nuevamente. Después de todo, las imágenes que vemos en los cines y en nuestros hogares están siempre por delante de la ciencia más avanzada. Así, cuando la ciencia logra algo, ya es archiconocido. Igualmente importante es la nueva e incuestionable suposición de nuestro tiempo en el sentido de que la ciencia puede finalmente lograr cualquier cosa que presente la imagen del televisor.

Así, cuando vemos máquinas espaciales que pasan zumbando en la pantalla en *El día de la independencia*, o cuando recreamos dinosaurios de DNA preservado en *Parque jurásico*, la pregunta no es si la ciencia lo hará posible en el mundo real, sino cuándo lo logrará. Y no es de maravillarse que la gente piense así cuando ahora tenemos transbordadores volando por ahí y los bebés de probeta no son nada nuevo.

Una vez más el punto clave es que en esta generación hemos cambiado tanto como la tecnología. Nuestras expectativas para el futuro lo han superado todo. Nada es tan sensacional que no podamos imaginarlo. Deseamos nuevas tecnologías, nuevas emociones y las queremos ahora. Esto suscita otro punto casi inimaginable. Pese a los grandes avances y los «juguetes» del día, la mayor parte del mundo moderno está aburrido. ¿Cómo puede esto ser así?

¡AHORA QUEREMOS QUE OCURRA ALGO, CUALQUIER COSA, QUE SEA GRANDE!

Podemos recordar que cuando éramos niños vimos a Neil Armstrong caminar en la Luna. Más recientemente, recordamos el lanzamiento del primer transbordador. Ha sido un tiempo maravilloso para crecer. Pero Hollywood ha alimentado más nuestra imaginación que el Centro Espacial Johnson de Houston. Es más, la exhibición que la Institución Smithsoniana hace del *Apolo*, la máquina misma que puso al hombre en la Luna, ¡recibe mucho menos visitas que la exhibición del ficticio *Viaje a las estrellas*! Y esto señala una de las características más significativas de esta generación.

E.T., *Viaje a las estrellas* y *El día de la independencia* han pintado imágenes tan poderosas en nuestra conciencia colectiva que el mundo cotidiano y nuestros pasmosos avances parecen un poco apagados en comparación. ¿Lo puede creer? A pesar del tiempo monumental en que vivimos, nada está suficientemente cerca. Hollywood ha conmocionado de tal manera nuestra imaginación, que deseamos, necesitamos, algo más. No queremos ver que Arnold Schwarzenegger tenga todas sus aventuras en una pantalla. Queremos que ocurra en el mundo real. Cuando Will Smith, de *El nuevo príncipe de Bel Air*, estaba salvando la Tierra de los extraterrestres en *El día de la independencia*, todo el mundo soñaba con una aventura como la suya.

¡HOLLYWOOD NADA TIENE QUE VER CON ESTO!

¿No es asombroso que sea nuestra generación la que tanto desea que ocurra algo de «fuera de este mundo»? Para el estudioso de la profecía bíblica, ¿no parece un mundo perfectamente montado para el acontecimiento más dramático de la historia: el Arrebatamiento?

El Arrebatamiento es el siguiente acontecimiento en el calendario profético, y es al mismo tiempo uno de los acontecimientos más dramáticos que uno pueda imaginar. Según la Biblia, la generación que vio el regreso de Israel a su tierra, así como el aumento explosivo de la ciencia, también verá este acontecimiento: ¡todos los cristianos, millones y millones de ellos, desaparecerán de repente de la faz de la Tierra!

¿Qué les parece esto como algo grande? Cualquier generación anterior a esta hubiera sufrido un ataque global al corazón en el momento que esto ocurriera. Pero hoy en día, el mundo está preparado. Espera que algo grande ocurra. Para muchos el Arrebatamiento será el principio largamente esperado de lo que ojalá sea una notable aventura.

Pero demos un paso adelante. Aunque la Biblia no lo dice en forma específica, parece probable que cuando se produzca el Arrebatamiento, el primer pensamiento del mundo podría ser que los han atacado los ovnis. Si piensa al respecto, es el único contexto que la gente tiene para que alguien desaparezca ante sus ojos. «¡Súbeme con el rayo, Scotty!», la famosa frase que acompaña al uso del rayo transportador de *Viaje a las estrellas*, ha quedado engastada en la conciencia de millones. La ciencia ficción y el pensamiento de la Nueva Era han influido tanto en el mundo, que sin duda se creerá en el *Viaje a las estrellas* y su rayo transportador con mayor facilidad que en Dios. Como escribió Sir Francis Bacon: «La gente prefiere creer lo que prefieren que sea verdad».

Carrera hacia... donde sea

Por el momento, regresemos a nuestros días. Es como si viviéramos en un mundo de marcha rápida. Vamos atronadoramente hacia el futuro a una velocidad suicida. Llevados por asombrosos avances tecnológicos y las poderosas y seductoras imágenes en los medios de comunicación, no tenemos idea de lo que hay por delante, ¡pero no podemos esperar para llegar allá!

El peligro es exactamente como el comprendido en ir como un bólido por la carretera en su convertible con la cabellera al aire. Cuando uno va tan rápido, no hay tiempo para reaccionar ante lo inesperado ni de pensar en lo que hay a la vuelta de la esquina.

En el mundo de hoy, con la duplicación del conocimiento total cada dos años, no cabe duda que lo inesperado va a saltar en cualquier momento en la carretera ante nuestros ojos. Parece que tenemos la esperanza de mover adecuadamente el volante para no terminar en la cuneta. Sin embargo, mientras más rápido vamos, más improbable es.

LA DÉCADA DEL NOVENTA: TAN EMOTIVA COMO UNA PELÍCULA SILENTE

¿Ha visto las antiguas películas de principios de siglo? Ya las conoce. Son en blanco y negro y todos se mueven a una velocidad que resulta divertida. No tienen sonido.

Sabe que son difíciles de ver. Parecen tan extrañas que no puede imaginarse cómo la gente podía vivir en un mundo tan atrasado. Sin embargo, ellos creían que estaban en el pináculo mismo del desarrollo tecnológico. Una de las evidencias más asombrosas de esta creencia fue algo que en 1899 dijo Charles H. Duell, Comisionado de la Oficina de Patentes de Estados Unidos. Hizo una reseña de las tecnologías de la época y llegó a la conclusión de que «todo lo que podría inventarse ya se ha inventado».

Ahora sabemos lo ridículo que suena eso. Sin embargo, en algún modo siempre vemos nuestro tiempo como el pináculo. La gente pensaba así en la década del veinte, en la del cincuenta y en la del setenta.

Es como ocurre con los pantalones acampanados de la década del setenta. ¡Hombre!, pensábamos que estábamos en onda con esa cosa puesta. ¡Estábamos a la moda! Recordamos que tratábamos de lograr que el borde del pantalón nos tapase todo el zapato. Hoy día miramos un programa de televisión de la década del setenta y tenemos que esconder la cara de vergüenza. Pero, de repente, han regresado. Es bueno que nuestro padre no haya tirado sus pantalones.

Nuestro punto es el siguiente: hemos estudiado el problema cuidadosamente y creemos que dentro de diez cortos años alguien que vea las imágenes de nuestro tiempo mirará nuestra época como algo extraño, no como la reposición de *Starsky y Hutch*, sino como las películas en blanco y negro de Charlie Chaplin.

No olvide que si el conocimiento se sigue duplicando cada dos años, la cantidad de conocimiento que tenemos en la actualidad será un dieciseisavo del que se poseerá en diez años más. Todas las computadoras serán unas ciento veintiocho veces más rápidas y más avanzadas.

COMO EN LA TELE

Como hemos indicado, con todo lo que ocurre en nuestro mundo es casi imposible mantenerse al tanto de todo. Al mismo tiempo mucho de lo que sabemos de nuestro mundo y las imágenes que tenemos del futuro proceden de un nuevo fenómeno de nuestro tiempo: los medios de comunicación masiva.

Todos vimos la Guerra del Golfo. Sin embargo, no fuimos a Kuwait. Vimos a Nancy Kerrigan competir con Tonya Harding en patines sin necesidad de ir a las Olimpiadas, escuchando los informes de la madre de Dave Letterman. Y vimos a Marcia Clark en su pleito con Johnnie Cochrane en un pequeño tribunal de Los Ángeles sin siquiera salir de nuestra sala.

Si piensa al respecto, la televisión se ha convertido en nuestra ventana al mundo. Nos dice lo que ha ocurrido, lo que debemos esperar, lo que debemos creer y lo que debemos desechar. Define los límites del debate, atrae la atención del mundo a algunos hechos mientras pasa por alto otros. Nos dice lo que es posible y lo que es real. Sin embargo, es por propia definición, un medio de ilusión y engaño. La televisión no muestra sencillamente el mundo como es; más bien lo tuerce y le da cualquier forma que el productor haya elegido.

Creemos que en un mundo en medio de una transformación masiva y abrumado por la información, no hay arma más poderosa que la televisión. Como lo vimos en el colapso de todo el mundo comunista, la televisión es más poderosa que los ejércitos y más efectiva que las tropas de ocupación. Después de todo, ¿por qué entrar en el gasto de esclavizar a la gente si puedes ganar su corazón?

Increíblemente, la Biblia nos dice que la generación que iba a ver este notable aumento de la ciencia también la arrastraría un engaño como nunca la humanidad había conocido. Actualmente, por primera vez en la historia, podemos entender la naturaleza y alcance de ese engaño. También podemos ver que empieza a desarrollarse.

Sin embargo, aunque poderosas, la televisión y la pantalla plateada pronto quedarán obsoletas.

¿Engaño? Es una realidad virtual

Los que conocen nuestro ministerio saben que somos muy cuidadosos con lo que decimos. Se nos considera provocativos sin llegar a ser sensacionalistas. Esto se debe a que creemos que el mundo en que vivimos y el cumplimiento de las profecías bíblicas de las que hablamos son suficientemente sensacionales por sí mismas. No necesitan que las embellezcan.

Dicho eso, digamos esto: El mundo está a punto de que lo estremezca una transformación diferente de todo lo que hemos visto. Se debe a que una nueva tecnología que está a la vuelta de la esquina literalmente va a cambiarlo todo. Creemos que la realidad virtual va a tener un impacto mayor sobre el planeta que cualquier otra cosa desde que Jesús anduvo por esta tierra hace dos mil años.

¿Qué es la realidad virtual? Imagínese que está viendo una comedia por televisión, por ejemplo, *Seinfeld*. Usted se dirige al televisor y mete la cabeza dentro del televisor a través de la pantalla. En realidad penetra en él. Ahora, en vez de mirar el programa, estará en medio de la sala de Jerry. Estará en medio de la acción. Eso es realidad virtual.

Imagine que se pone un par de lentes mágicos que le permitan ser parte de la escena que elija. Podría pasearse por las playas del Caribe o escalar el monte Everest. Eso es realidad virtual.

Podría estar con el bate al fondo de la novena carrera en el partido decisivo de la Serie Mundial. Podría ser el presidente de Estados Unidos, o ser un hortelano que poda plantas virtuales en el más hermoso huerto virtual. Eso es realidad virtual.

¡NUNCA SALDRÍA DE LA CASA!

La realidad virtual se refiere a ambientes generados por la computadora que parecen tan reales a los sentidos de la vista, el oído, el tacto, el gusto y aun el olfato, que no puede distinguirlos del mundo real. Y esta tecnología está a solo unos pocos años de distancia.

Considere este artículo de Prensa Asociada, del 18 de diciembre de 1996:

> El circuito integrado de una computadora de escritorio se ha convertido en el componente básico de la supercomputadora más rápida que se haya construido, máquina tan poderosa que puede mirar el interior del DNA humano y simular explosiones nucleares ... «Es un paso de bebé hacia la simulación real del mundo físico, que es aquello en que consiste la holocubierta en *Viaje a las estrellas*», dijo Justin Rattner, un experto en la supercomputadora Intel, al referirse a las salas de realidad virtual en la serie de televisión.

Piénsese en lo que eso significa. La gente pasa un promedio de siete horas al día delante de la tele. ¿Cuánto tiempo pasarán en un mundo donde podrán definir cada detalle conforme a sus propias especificaciones?

Pero hay otro problema. Si puede crear cada detalle de ese mundo, ¿no es usted el dios de ese mundo? ¡Sin duda lo es! Puede hacer que todo ser creado por usted se incline en su presencia y le adore, si así lo quiere.

Piense en lo difícil que le resultará regresar a su trabajo en la línea de montaje después de ser rey del universo en su sistema de realidad virtual. Esta es otra predicción nuestra. Cuando la realidad virtual hogareña entre en escena, será difícil lograr que alguien salga de la casa.

Imagine un mundo donde se confunden tanto la realidad y la ilusión. Los sentidos de las personas literalmente no serán capaces de distinguir el mundo virtual del mundo real. *Virtual* viene de una palabra que significaba tan bueno como lo verdadero; en un par de años significará que es mejor que lo verdadero.

¡UNA FORMA COMPLETAMENTE NUEVA DE CONSIDERAR LAS PROFECÍAS!

Este libro tiene un propósito específico. Queremos darle una forma completamente nueva de mirar este mundo y la profecía bíblica.

Lo ve, a medida que leemos los escritos de personas que querían entender las profecías de la Biblia muchos años o siglos antes de nuestro tiempo, quedamos asombrados al darnos cuenta de la claridad con que captaron el esquema general de la última generación. Y esto no es solamente un tributo de su percepción. Es un testimonio de la exactitud con que la Biblia describe nuestro tiempo. Después de todo, hace siglos los hombres de Dios podían leer las profecías de la Biblia y ver por fe lo que vemos hoy en la realidad.

Sin embargo, algunas cosas estaban nebulosas y ocultas para ellos. No podrían vaticinar progresos tales como la televisión mundial, las computadoras ni la realidad virtual. Así que no tenían posibilidades de tener la clara visión de la profecía que tenemos en la actualidad cuando podemos ver que estas cosas están allí, delante de nuestros ojos.

¿Y saben algo más? Aun esto está profetizado en la Biblia. Recuerden que el ángel dijo a Daniel que en «el tiempo del fin ... la ciencia se aumentará». Bueno, pero eso no es todo lo que dijo el profeta. Fíjense, Daniel estaba confundido por las cosas que se le permitió ver. Trató de describir en la mejor forma posible las cosas que se le mostraron, pero en realidad no tenía idea de lo que estaba sucediendo.

Le preguntó al ángel sobre este problema, y el ángel dijo algo notable. Respondió: «Anda, Daniel, pues estas palabras están cerradas y selladas hasta el tiempo del fin» (Daniel 12.9). En otras palabras, le dijo a Daniel: No puedes entender estas cosas; no tendrán sentido hasta «el tiempo del fin ... [cuando] la ciencia se aumentará».

Por eso tenemos que comprender que podemos ver la profecía bíblica en una forma completamente nueva hoy en día. ¡Es el tiempo del fin! ¡La ciencia se ha aumentado! Por eso estas cosas comienzan a tener sentido para nosotros.

PARA UNA HORA SIMILAR A ESTA

Como en el caso de Ester en el Antiguo Testamento, creemos haber llegado «para esta hora ... al reino» (Ester 4.14). Como ya lo hemos dicho, somos un poco más jóvenes que virtualmente cualquier otro maestro de profecía de esta generación.

Somos amigos de prácticamente cada uno de ellos, sentimos gran respeto por todos, pero nuestra juventud nos permite tener perspectivas ligeramente diferentes. Eso ocurre porque hemos crecido en una época muy diferente.

Por ejemplo, recientemente conversábamos con un famoso maestro de profecía y nos dio notables informaciones sobre la naturaleza de la guerra y de cómo subieron al poder los nazis en Alemania. Eran experiencias que no teníamos posibilidades de comprender en la forma que él lo hizo. Ni siquiera habíamos nacido.

De igual manera, nosotros tenemos una ubicación particularmente ventajosa para ver los nuevos campos de cumplimiento profético porque vivimos en medio de la generación que se tutea con la tecnología, con las caminatas espaciales y con MTV. Usamos las computadoras todos los días. Nos hemos distraído con todos los juegos. Entendemos cómo los miembros de la generación más joven abrazan una visión del mundo completamente nueva porque son de nuestra generación.

En este libro queremos ayudarle a entender el singular momento de la historia que vivimos. Queremos ayudarle a verlo a través de los ojos de esa generación más joven, una generación dispuesta a aceptar casi todo. Y queremos mostrarle cómo todo esto cambiará completamente y pondrá al día su comprensión de la profecía bíblica. Si pensaba que la profecía bíblica era fascinante, siga no más. Aún no ha visto nada.

Capítulo 2

El mundo se mueve tan rápido en estos días que, por lo general, el hombre que dice que no se puede hacer lo interrumpe alguien que lo está haciendo.

Harry Emerson Fosdick

El mundo en avance acelerado

Digamos que usted tiene diez años y su hermano es un poco mayor, doce años, por ejemplo. Viene su padre y presenta a ambos una enigmática elección. Les va a dar todo un año de mesada inmediatamente. Esa es una buena noticia para ambos, y escuchan con atención lo que les dice. Pueden recibir el pago de una de dos maneras. La primera opción, que su hermano acepta de inmediato, es recibir un pago único de mil dólares. La otra opción, que usted en forma vacilante decide aceptar, es recibir un centavo el primer día de enero, dos el segundo día, cuatro el tercer día y así sucesivamente hasta el final del mes. Usted no tiene una calculadora consigo, y puesto que estamos en la última década del siglo veinte, ni siquiera piensa en calcular con papel y lápiz. Decide esperar y ver cómo se presentan las cosas en el transcurso del mes. El siguiente es un cuadro del programa de pagos para la primera semana de enero:

DÍA	PAGO QUE RECIBE	SALDO QUE ACUMULA
Lunes, 1º de enero	$0,01	$0,01
Martes	$0,02	$0,03
Miércoles	$0,04	$0,07
Jueves	$0,08	$0,15
Viernes	$0,16	$0,31
Sábado	$0,32	$0,63
Domingo	$0,64	$1,27

Al final de la primera semana comienza a preguntarse si hizo un buen negocio. Mira a su hermano. Ya se compró una bicicleta nueva, un montón de revistas de historietas y una computadora con juegos, y todavía tiene $700. Por otra parte, usted cuenta todos sus centavos y tiene apenas unos miserables $1,27 a su nombre. Pero, un trato es un trato. Espera que la cosas mejoren más adelante.

Esto es lo que ocurre la segunda semana:

Lunes, 8 de enero	$1,28	$2,55
Martes	$2,56	$5,11
Miércoles	$5,12	$10,23
Jueves	$10,24	$20,47
Viernes	$20,48	$40,95
Sábado	$40,96	$81,91
Domingo	$81,92	$163,83

Bueno las cosas comienzan a tener un mejor aspecto, pero espera que no tendrá que pasar todo el mes antes de darse cuenta cómo es la cosa. Para estar más seguro, decide no pagar una entrega por la bicicleta como la de su hermano. Quizás al final de la nueva semana esté más optimista.

Lunes, 15 de enero	$163,84	$327,67
Martes	$327,68	$655,35
Miércoles	$655,36	$1.310,71
Jueves	$1.310,72	$2.621,43
Viernes	$2.621,44	$5.242,87
Sábado	$5.242,88	$10.485,75
Domingo	$10.485,76	$20.971,51

¡Ah! ¿Qué está pasando? Tiene que levantarse del suelo para recibir el cheque semanal de su padre. Menos mal que papá es baloncestista profesional, de otro modo tendría que haber hipotecado la casa solo para pagar la mesada. Se ríe de su hermano y pasa de largo por delante de la tienda de bicicletas y entra donde venden motocicletas. Seguro, es demasiado joven para conducirla, pero esto va a volver loco a su hermano y eso vale hasta el último centavo.

Lunes, 22 de enero	$20.971,52	$41.943,03
Martes	$41.943,04	$83.886,07
Miércoles	$83.886,08	$167.722,15
Jueves	$167.772,16	$335.544,31
Viernes	$335.544,32	$671.088,63
Sábado	$671.088,64	$1.342.177,27
Domingo	$1.342.177,28	$2.684.354,55

Al final de la cuarta semana, el día veintiocho del mes, ha aprendido algo valioso. La idea completa del crecimiento exponencial y de duplicar comienza a tener cierto sentido real. Su hermano ahora es su mayordomo, y su papá se ha visto obligado a firmar un contrato por muchos años con su equipo de la NBA solo para pagar su mesada. Solo quedan tres días en el mes, pero... ¿a quién le importa? Con más de dos millones recibidos hasta ahora, ¿quién necesita esos últimos días?

Lunes, 29 de enero	$2.684.354,56	$5.368.709,11
Martes	$5.368.709,12	$10.737.418,23
Miércoles	$10.737.418,24	$21.474.836,47

¿Preguntaba qué importan tres días? Bueno, en el mundo del desarrollo exponencial los últimos días son los más grandes. Eche una miradita a las cifras de los últimos tres días. Va a llevar a casa diez veces más dinero que si hubiera hecho el trato en febrero que tiene solamente veintiocho días. Usted recibe los veintiún millones, regala a su hermano su bicicleta vieja y se pregunta si podría hablar con su padre para extender el trato por una o dos semanas más.

Este cuentecito puede contribuir bastante para hacer más fácil de entender la idea del desarrollo exponencial. Más importante aun, hace que sea más fácil de apreciar. Solo mire la tasa de crecimiento y cómo aumenta con cada día que pasa. En efecto, la mitad de su imprevista ganancia multimillonaria la recibió el último día.

¿Y qué tiene que ver todo esto con la profecía bíblica y la cercanía del año 2000? Bueno, por el libro de Daniel sabemos que una de las señales clave de los últimos tiempos sería el aumento de la ciencia. Desde hace algunos años ya nos hemos dado cuenta que el conocimiento humano crece según un índice increíble. La mayoría de los estudiosos están de acuerdo en que el monto total del conocimiento humano se dobló una vez entre 4000 a.C. y el nacimiento de Cristo. Luego, desde el nacimiento de Cristo hasta 1750 se volvió a doblar. De nuevo se dobló desde 1750 a 1900. Desde 1900 a 1950 se volvió a doblar. Nótese que los lapsos se hacen cada vez más cortos: de 4000 años, a 1750, a 150, a 50 años. Luego desde 1950 a 1960, nuevamente se dobló y ahora, en esta generación, la tasa se ha hecho exponencial, exactamente como el ejemplo de los niños y su mesada. Actualmente

Cuando cumplí los dos años estaba ansioso, porque había doblado mi edad en un año. Pensé, si esto sigue así, a los seis años voy a tener noventa.

Steven Wright

impera la creencia de que el lapso para doblar el conocimiento es inferior a dos años.

Piénsese al respecto. Cada dos años se duplica la suma total del conocimiento humano. ¡Qué época para vivir! Miremos otra vez la historia de las mesadas. Es como si el mes de enero fuera la historia del mundo y usted viviera el día 31. Piense en las maravillas que podría hallar en el recodo del camino. Imagine qué mesada recibiría durante la primera semana de febrero. ¡Al final de aquella semana tendría cerca de tres millones! Abroche su cinturón, amigo mío, y prepárese para el futuro.

¡CIEN MILLONES DE LIBROS EN SU MALETÍN!

¿Sabía que los científicos han aprendido más acerca del mundo y su funcionamiento durante su vida que en toda la historia del mundo antes que usted naciera? ¿Sabe que si lee una edición completa del periódico *New York Times*, habrá absorbido más información que la que podría haber tenido en toda su vida si hubiera vivido hace cien años? ¿Sabía que la Biblioteca del Congreso de Estados Unidos ahora necesita veinte mil nuevas estanterías cada año solo para acomodar las nuevas publicaciones?

> ***Parecería que hemos alcanzado el límite de lo que es posible lograr con la tecnología computacional, aunque uno debe tener cuidado con este tipo de afirmaciones puesto que tienden a parecer tontas a los cinco años.***
>
> ***John Von Neumann (1949)***

No hay dudas que vivimos en un mundo de información, un mundo que habría sido más abrumador de lo que es si no fuera por el desarrollo de nuevas tecnologías como las computadoras, los CD y los discos láser. Pero gracias a estos increíbles avances, ahora es posible llevar todo el contenido de la Biblioteca del Congreso en su maletín. Y si es demasiado perezoso para llevar un maletín, puede tener acceso total a la Biblioteca y a casi cada párrafo de información registrada en el mundo, si enchufa su computadora portátil al teléfono más cercano.

Por supuesto, no tiene la más mínima esperanza de leer realmente todos esos libros, de ver todas esas películas, de ver todos los programas de televisión, de oír todas los casetes, de asistir a todas las conferencias, y etc., etc. Pero el acceso computacional nos permite hallar lo que estamos buscando y para la mayoría con eso nos basta para sentirnos felices.

De modo que, con este increíble diluvio de información que se esparce en el mundo cada día, es una buena cosa que un solo invento, la micropastilla, haya aparecido para hacer nuestras vidas un poco más fáciles.

1948, LA NUEVA GENERACIÓN

Los maestros de profecías generalmente aceptan que la cuenta regresiva final para la venida del Señor comenzó cuando renació Israel como nación el 14 de mayo de 1948. Dos mil años antes, Jesús usó el símbolo común de Israel, la higuera, para demostrar que el renacimiento de esta pequeña nación iniciaría la cuenta regresiva de la profecía:

> De la higuera aprended la parábola: Cuando ya su rama está tierna, y brotan las hojas, sabéis que el verano está cerca. Así también vosotros, cuando veáis todas estas cosas, conoced que está cerca, a las puertas. De cierto os digo, que no pasará esta generación hasta que todo esto acontezca. (Mateo 24.32-34)

Bueno, además del renacimiento de Israel, una cantidad de cosas ocurrieron en 1948, incluida la invención del transistor, quizás el progreso tecnológico más grande en la historia del mundo. Y con la invención del transistor nació la nueva era, el comienzo del cambio de la era industrial a la era de la información. Y cuando se llega al aumento de la ciencia y al ritmo de cambio, usted no puede encontrar un ejemplo más vívido que este transistor del tamaño de un dedal que está sobre una mesa en el laboratorio de la compañía telefónica Bell en Nueva York para que todo el mundo lo vea.

Ese día de 1948, el transistor parecía increíblemente pequeño, especialmente al ponerlo al lado del voluminoso tubo al vacío al que tenía que reemplazar. Pero ese era solo el principio. Dentro de los diez años siguientes, los técnicos habían puesto diez de esos transistores en una simple placa de silicio, con una superficie menor de 0,64 cm^2. Pero aun eso no era nada. Diez años después, en el mismo cuadradito se colocaron diez mil transistores, y por el mismo precio que los diez transistores de la década anterior. Cinco años más tarde habían comprimido dieciséis mil transistores en ese cuadrado, y hacia 1985, un millón. Pero no se paró allí. En 1991 había dieciséis millones de transistores en ese cuadrado. ¿Qué tal como ritmo de cambio? Y hablemos de miniaturización. Los transistores más pequeños de hoy tienen menos de una setenta y cinco milésima del tamaño de un cabello humano.

MÁS RÁPIDO QUE UNA BALA

Ayudando a alimentar este crecimiento increíblemente rápido en tecnología hay un factor muy importante. Fíjese que a diferencia de otros adelantos tecnológicos del pasado, la micropastilla es única en que puede contribuir directamente a su propia evolución acrecentando la tasa de cambio. A medida que se desarrollan circuitos integrados más veloces, se ponen a trabajar en nuevas formas de hacer micropastillas más veloces. Es un proceso en marcha que obviamente ha llevado a un crecimiento increíble. Sin embargo, debemos aclarar que no solo las computadoras se están beneficiando con los avances de la tecnología de la micropastilla. En realidad, casi todo en el mundo desarrollado se ha puesto en marcha acelerada por este increíble invento.

El Internet es un ejemplo perfecto. Con la tecnología computacional que avanza a saltos gigantescos casi cada día, cosas tales como el Internet repentinamente saltan de la oscuridad al predominio mundial en un período muy breve.

¿Y puede continuar esta tendencia? Un axioma muy conocido en la industria de la computación se ha llegado a conocer como la ley de Moore, denominada así según Gordon Moore, el fundador de la fábrica más grande de micropastillas del mundo, Intel. Según la ley de Moore, el monto total de información que se puede almacenar en un solo circuito integrado de silicona se dobla cada dieciocho meses, mientras durante el mismo período el costo de fabricación del circuito integrado se reduce al cincuenta por ciento. Esta ley ha mantenido su vigencia por más de veinte años desde la primera vez que Moore la postuló a mediados de la década del setenta. El rendimiento de los microprocesadores ha mejorado más de veinticinco mil veces en los últimos veinte años.

Aunque no todos están de acuerdo en cuanto al tiempo que seguirá en pie la ley de Moore, la mayoría está de acuerdo en que seguirá vigente por otra década por lo menos. Recuerde, duplicar la capacidad de almacenaje de un circuito integrado significa duplicar el poder de la computadora. Sin duda, para el futuro inmediato, el rápido ritmo del cambio continuará y dentro de diez o quince años *una* computadora será tan poderosa como el conjunto de *todas* las computadoras existentes en el mundo actual.

Mientras otras tecnologías corren para complementar la micropastilla, al mundo lo están lanzando en una carrera acelerada hacia adelante. Entre los ejemplos más espectaculares está el rápido crecimiento de la información que se puede enviar de un lado a otro de una ciudad o alrededor del mundo a través del cable de fibra óptica.

El cambio es inevitable, salvo para una máquina de vender.

Robert C. Gallagher

Recientemente se estableció un nuevo récord de velocidad de transmisión en Nueva York, donde los investigadores lograron por primera vez transmitir información a razón de un billón (1.000.000.000.000) de bits por segundo. Para tener una perspectiva de esta hazaña, considérese que estamos hablando del equivalente a más de trescientos años de grandes periódicos transmitidos en un solo segundo.

Si lo reducimos a comunicación hablada, se trata de la capacidad de tener doce millones de conversaciones telefónicas simultáneamente a través de un pequeño alambre de vidrio más delgado que un cabello humano. Por muchos años esta capacidad de transmisión (un billón de bits por segundo) se había considerado el «grial sagrado» de las comunicaciones electrónicas en el mundo, y ahora, se ha convertido en una realidad. A esta increíble hazaña hay que agregar el hecho de que en transmisiones previas el récord estaba en solo cuatrocientos mil millones de bits por segundo, logrado apenas un año antes. ¿Qué les parece como una muestra de progreso veloz?

¡ESTÁN POR TODAS PARTES! ¡ESTÁN POR TODAS PARTES!

Aun más importante que el tamaño y velocidad de las computadoras es el uso que se les está dando. Eso también se ha estado expandiendo casi a la misma velocidad. En 1972, había solamente ciento cincuenta mil computadoras en el mundo. Compárese con la cifra actual. Intel, el fabricante más grande del mundo de circuitos integrados, tiene planes de embarcar casi cien millones de procesadores para computación este año. En Estados Unidos solamente, los embarques de computadoras dentro del país se ha elevado de cincuenta y tres mil en 1976 a casi diecinueve millones en 1996.

Cuando hablamos de la explosión de la era de la computación, no solamente pensamos en las computadoras personales que están sobre los escritorios en todo el país. La revolución computacional ha traspasado todo eso y ha hecho que las computadoras sean una parte importante de casi cada vida en Estados Unidos. Aun los tradicionalistas intransigentes, que pretenden preferir el sistema antiguo de escribir cartas, de llenar las declaraciones de impuestos y de jugar al solitario, usan las computadoras durante el día sin darse cuenta. Es casi imposible pasar un día sin usar computadoras de una u otra manera. Sea que ajuste el termostato en la pared de su sala, compre un litro de leche en el supermercado o revise los mensajes en su contestador telefónico, es posible que esté usando una computadora. Aun cuando conduce su auto por la carretera, está rodeado de tecnología computarizada. Un increíble ochenta y tres por ciento de las funciones de un auto nuevo, desde la inyección de combustible hasta los frenos de poder se controlan por microprocesadores. Hace cuatro años, la cifra era dieciocho por ciento.

Puesto que las computadoras personales se hacen cada vez más comunes en los hogares alrededor del mundo, la tendencia probablemente siga el mismo rumbo que la tendencia del televisor a colores hace una generación. Solo que esta vez quizás se mueva a mayor velocidad. Considérese que en 1960, menos del uno por ciento de las familias de Estados Unidos tenían un televisor a color. En la actualidad el noventa y ocho por ciento de los hogares tienen por lo menos un televisor a color, y la mayoría tiene dos o más. ¿Por qué ha habido una penetración tan increíble de estos equipos en el mercado? Se han hecho accesibles, y a los ojos del público comprador se han hecho *una parte esencial* de la vida. Las computadoras están llegando al punto de no costar mucho más que un televisor a colores, y probablemente hacia el año 2000, las computadoras, completas, con conexiones al Internet, serán algo tan común como los televisores en el día de hoy.

Ha habido un alarmante aumento en el número de cosas acerca de las cuales nada sabemos.

Anónimo

Sin embargo, es realmente difícil predecir con cuánta rapidez van a continuar interviniendo en nuestra vida. Sin embargo, mientras piensa al respecto, recuerde que IBM se jactó en 1980 de que el mercado mundial de la computación alcanzaría a doscientos setenta y cinco mil durante la década siguiente. ¿Estuvo cerca su estimación? De ninguna manera. La cifra real fue de más de sesenta millones.

MÁS POR MENOS

Obviamente, como hemos analizado, un factor básico en este crecimiento increíble ha sido la accesibilidad. Hace tan solo diez años las computadoras eran demasiado caras para que la persona promedio considerara la posibilidad de tener una. Cuando nuestro ministerio entró por primera vez en la era de la computación, hacia 1987, tuvimos que pagar cerca de diez mil dólares por una computadora que ahora causa risa. Hay muchas probabilidades de que el reloj que lleva en su muñeca tenga más potencia procesadora que dicha computadora. Bueno, hacía el trabajo, y más importante que eso, no había nada que se le pudiera comparar. Este es realmente uno de los aspectos clave para la satisfacción en el mundo de la tecnología.

Hoy día una computadora mil veces más rápida y con quinientas veces la capacidad de almacenaje cuesta menos de mil quinientos dólares. Para poner todo el factor costo en una sola perspectiva, considere esto: si la memoria de la computadora costara hoy lo que costaba en 1960, una computadora personal promedio costaría más de treinta millones de dólares.

El elemento final que es de una importancia inmensa para la era de la información es la facilidad en el uso. No hace mucho las computadoras eran del dominio exclusivo de quienes eran conocidos como cerebros. Eran el prototípico monstruo computacional, con protectores plásticos, gruesas antiparras con cinta en el medio y pantalones que no les llegaban a los tobillos. Actualmente las computadoras están en todos los escritorios del país, y en casi la mitad de los hogares estadounidenses. Y como casi todo en el mundo de la computación, estas estadísticas también están creciendo. Obviamente una gran parte del fenómeno consiste en que aun cuando las computadoras se hacen cada día más poderosas, son cada vez más fáciles de usar. Niños que aún no tienen la edad escolar a base de clics hacen su navegación en el maravilloso mundo del espacio cibernético. Para millones de niños las computadoras ya se han convertido en juguetes. Nintendo, una de los fabricantes más grandes del mundo de juegos para computadoras, ahora ha desarrollado un juego de video computarizado que costará alrededor de doscientos cincuenta dólares. Este juego ofrecerá a los niños el mismo poder computacional que costaba catorce millones hace solo diez años.

La ilusión de espacio y tiempo

Por increíble que sea el gran progreso que hemos visto en la era de la computación, necesitamos notar algo más. Muchos de los avances se ven realzados aun más por una suerte de ilusión. Los progresos en la tecnología de la compresión permiten que los avances parezcan mayores de lo que son.

Por ejemplo, en lo que respecta al espacio de almacenaje en las computadoras, las tecnologías de compresión desarrolladas en los últimos dos años literalmente han permitido que la gente expanda radicalmente el tamaño del disco duro de su computadora sin tener que reemplazar ninguna parte del hardware. Mediante el uso de un software que comprime la información, ahora puede poner un libro de doscientas páginas en el mismo espacio de almacenaje que contenía solo cincuenta páginas. Y dado que el software hace el trabajo tras bambalinas, el usuario ni siquiera se da cuenta de lo que está ocurriendo. ¿Cuál es el resultado final de todo esto? Repentinamente, de la noche a la mañana, con el clic de un botón las computadoras del mundo tienen una capacidad dos o tres veces superior a la que tenían ayer.

> ***La computadora le permite cometer errores con mayor rapidez que cualquier invento en la historia humana, con las posibles excepciones de las pistolas y el tequila.***
>
> ***Mitch Ratliffe***

Esta misma ilusión la llevan también a la esfera del tiempo. A través del movimiento de archivos comprimidos en vez de archivos completamente expandidos, *parece* que tenemos la capacidad de mover la información con mucha mayor velocidad. Repetimos, los progresos son grandes, pero los avances en la tecnología computacional han hecho que parezcan ser más grandes de lo que son en realidad.

Estos avances pueden ser una lección para cualquiera que trate de comprender lo que podría ser la vida en el futuro. La lección es sencilla: nuestra capacidad de predecir lo que está a la vuelta de la esquina con frecuencia se ve limitada por barreras que podrían parecer muy sólidas en el presente. Hace cinco años, cuando la gente trataba de imaginarse el envío de señales digitales tales como películas e imágenes de televisión vía Internet, parecían enfrentarse a un obstáculo imposible. ¿Cómo podría hacer que todos esos datos pasen por una línea telefónica? Hoy la respuesta es clara, por supuesto: Sencillamente comprima los datos, envíelos y descomprímalos al otro lado. Lo que parecía imposible ahora es posible, gracias a un avance acerca del cual ni siquiera se había pensado.

PELIGRO: ZONA DE RITMO RÁPIDO ADELANTE

Es claro que con frecuencia hay un elemento de riesgo cuando las cosas se mueven tan vertiginosamente como lo han hecho en este siglo, y lo seguirán haciendo en los días venideros. Hemos visto esto muchas veces en nuestra historia, sobre todo en la reciente. Un ejemplo notable es la máquina de rayos X. Aunque esta puede ser muy útil, también sabemos que puede ser extremadamente peligrosa porque nos expone a una radiación potencialmente mortal cada vez que se usa.

Por esta razón se usan bajo condiciones muy específicas, y usted probablemente haya notado que los doctores y enfermeras se ocultan tras biombos o salen completamente de la habitación cuando usan los rayos X. Sin embargo, cuando se descubrieron, nadie tenía idea que fueran tan peligrosos. Después de todo la radiación mortal era completamente invisible y someterse a los rayos X no era una experiencia dolorosa. Así que sin ninguna razón para pensar que algo anduviera mal, las zapaterías comenzaron a instalar máquinas como una estrategia de ventas. Durante años uno podía ir a una zapatería en cualquier parte del mundo y ver los huesos de sus pies dentro del zapato nuevo. Cuando los niños se reían y movían los dedos, los padres se paraban a disfrutar de la escena, sin saber que sus niños estaban expuestos a una radiación mortal.

Otro ejemplo horrible, grabado en la memoria de padres alrededor del mundo, es el medicamento llamado talidomida, que se dio a millones de mujeres embarazadas en las décadas del cincuenta y del sesenta para ayudarles a controlar el malestar matinal. Lo que no se sabía en el momento era que tal medicamento tendría terribles efectos sobre casi diez mil niños que nacieron con brazos y piernas atrofiados. Aunque se prohibió su uso en la mayor parte del mundo, aún se usa regularmente en algunos países, y según un informe del programa de televisión *60 minutos*, en Brasil aún nacen bebés afectados por la talidomida casi todos los días. Esta tragedia no solo ilustra los peligros de nuestro acelerado mundo, sino también los peligros de un mundo que es lento para reaccionar cuando se descubren los peligros y la «cura» es molesta o costosa.

Durante un tiempo se consideraba completamente inocuo fumar tabaco, y millones de personas acabaron adquiriendo una adicción fatal a esta droga asesina. Actualmente es un claro hecho médico y científico que el tabaco puede matar y en efecto mata personas todos los días. Sin embargo, las poderosas empresas tabacaleras y millones de fumadores adictos han hecho lo imposible por lograr que nada se haga al respecto. Como resultado se pierden millones de vidas y se gastan miles de millones de dólares para cuidar las víctimas de esta droga, que una vez se pensó era inofensiva.

Hoy corremos un peligro verdadero de que historias como estas se hagan comunes y mucho, muchísimo más graves. ¿Por qué? Usted podría pensar que con toda nuestra sofisticación científica estaríamos en mejores condiciones para erradicar las nuevas tecnologías que sean peligrosas. Además, ¿no hay un montón de nuevas leyes y regulaciones gubernamentales que aseguren que no vuelva a ocurrir algo como la tragedia de la talidomida? Por fortuna, la respuesta es sí. Los fármacos deben estudiarse muy bien antes de lanzarlos al mercado, y en la era de las demandas judiciales, las empresas son mucho más cautelosas en cuanto a los productos que llevan al mercado. Recuerde, este es el mundo donde una mujer demandó con éxito a McDonald por servir el café demasiado caliente, cuando se lo derramó en la falda y le quemó la pierna.

No obstante, el verdadero peligro del futuro viene del hecho de que en verdad estamos comenzando a «jugar con piezas grandes» en muchos campos de la ciencia y la tecnología. La experimentación y el desarrollo en aspectos tales como la energía nuclear, la ingeniería genética y la biotecnología significa que cuando algo sale mal, los resultados pueden ser absolutamente desastrosos. Y en un mundo lanzado como centella a su máxima velocidad, el daño puede hacerse aun antes que lo sepamos. Como lo dice Nathaniel Borenstein, en la era computacional, «la manera más probable para la destrucción del mundo, según la mayoría de los expertos, es por accidente. Allí es donde entramos nosotros; somos profesionales en computación. Nosotros causamos los accidentes».

¿Cuarenta y ocho kilómetros por hora? ¡Imposible!

A pesar de los obvios peligros de nuestra rápida velocidad de cambio, la mayoría queremos tres cosas de la tecnología: ¡más, más y más! Y eso hace a nuestra generación distinta de todas las demás que han existido. Cuando los hermanos Wright hicieron su primer vuelo histórico en Kitty Hawk en 1903, la mayor parte de la prensa ni siquiera reportó la noticia. Y aun cuando se las arreglaron para que su «máquina voladora» se despegara del suelo, pocos se impresionaron. Octave Chanute, famoso ingeniero de la época, miró hacia el futuro y decidió que «tales máquinas voladoras en casos especiales podrían llevar correo, pero sería muy poca la carga útil que podrían transportar. La máquina puede llegar a desarrollar velocidad y usarse en los deportes, pero no se debe pensar en ellas como transportes comerciales».

De igual manera, cuando los ferrocarriles comenzaban a adquirir importancia a fines del siglo pasado, el mundo se mostró menos que entusiasmado, y mucha gente estaba más que un poco recelosa. A un periódico de California le preocupaba que «los enormes rieles de acero invertirían el campo magnético de la Tierra con efectos catastróficos». Respecto del futuro del ferrocarril, había un problema con la velocidad con que los trenes podrían viajar. La Real Sociedad de Inglaterra advirtió contra los ferrocarriles diciendo que a velocidades superiores a los cuarenta y ocho kilómetros por hora se cortaría la provisión de aire y todos los que viajaran en el tren morirían asfixiados. Subiéndose al carro, el Colegio Médico de Munich, Alemania, agregó que a tales velocidades (cuarenta y ocho kilómetros por hora), los pasajeros sufrirían de dolores de cabeza, vértigo y la posible pérdida de la vista. Sin embargo, la mayoría estaba convencida de que el problema de los pasajeros nunca podría comprobarse, porque a velocidades que se aproximan a los cuarenta y ocho kilómetros por hora, aun un pequeño tronco podría hacer trizas las grandes ruedas de metal.

Compárese esta actitud con lo que vemos en el mundo de hoy. Es tan al revés, que estas ilustraciones parecen ridículas. En vez de temer a la tecnología y de dudar que son posibles mayores avances, estamos exigiendo cada vez más y creemos que nada es imposible. Nos hemos convertido en una generación de niños mimados, que exigen *y esperan* más de la tecnología y menos de nosotros mismos cada día.

PREPARARSE

Capítulo 3

Lo más característico de la vida mental, por sobre el hecho de que uno capta los acontecimientos del mundo que lo rodea, es que uno constantemente va más allá de la información recibida.

Jerome Bruner

Las aventuras de los Indiana Lalonde

(A la altura de los Jones)

Era una cálida noche de verano en North Bay, Ontario, Canadá, en 1976. Éramos dos adolescentes preocupados de sus propios asuntos, que regresábamos caminando a casa desde el cine. Como lo hacíamos con frecuencia, tomamos un atajo por la playa. La película que acabábamos de ver nos había dejado muy emocionados. Era *Cazadores del arca perdida*, la historia de Indiana Jones y sus increíbles aventuras sobrenaturales mientras exploraba el Medio Oriente en busca del arca del pacto. Como todos los demás que salían del cine, aún estábamos impresionados, agarrando trozos de cuerdas y restallándolas como si fueran un látigo. A la manera que los niños después de ver una buena película de karate salen dando patadas a cada lata vacía que encuentran a su paso, nosotros estábamos dispuestos a explorar cuanto pasaje secreto pudiéramos encontrar. Por cierto, en el centro de North Bay no había pirámides inexploradas, ni ruinas antiguas, de modo que teníamos que apoyarnos completamente en la riqueza de nuestra imaginación. Pero entonces, nuestros sueños se vieron realizados. Nos paramos y enfrentamos nuestro propio «misterio del más allá».

En cuanto vimos esa luz que se reflejaba sobre la superficie de las tranquilas aguas del lago, nos preparamos para la acción. «Látigos» en mano, caminamos de uno a otro lado de la playa frente a esa misteriosa luz, mientras la estudiábamos tan cuidadosamente como podíamos. ¿Qué podía ser? ¿Un ovni? ¿Una señal misteriosa de otra dimensión? ¿Quizás un mensaje de Dios? Una cosa era cierta, no era una luz ordinaria. No tenía una fuente. Aun cuando el reflejo estaba allí, tan clara como era, no se veía otra luz. No había Luna, ni luz en la calle, ni siquiera una estrella brillante. Como éramos jóvenes racionales, de inmediato desechamos los ovnis y las misteriosas señales de otra dimensión. Obviamente tenía que ser un mensaje de Dios.

Lo que sucedió luego varía según quien cuenta la historia, pero estábamos obligados y decididos a seguir la exploración. Como guiados por una fuerza misteriosa, nos adentramos caminando por el agua, completamente vestidos, pobremente armados y más que un poco asustados. Caminábamos lentamente mientras alternábamos la mirada entre el agua y el vacío cielo nocturno. ¿Qué podría ser?

Sin embargo, la historia se complicó cuando al acercarnos a la luz, inexplicablemente esa luz se movía hacia atrás y hacia adelante, hacia atrás y hacia adelante. Uno de nosotros estiró el pie para ver si la luz brillaría a través de una zapatilla del todo empapada. Entonces fue que la luz comenzó a girar y nos despertó de una pesadilla. ¡Qué desilusión! Nuestro gran misterio del universo era una linterna plástica barata, que estaba en la arena bajo un metro de agua, allí donde un ladrón la había arrojado minutos antes. Era un chasco de gran magnitud. De repente, parados allí en la playa, con las ropas chorreando, nos sentimos no tanto como héroes de una película de acción, sino como soberanos idiotas. En vez de entrar corriendo por la puerta principal de la casa con la noticia de un gran descubrimiento, nos deslizamos furtivamente por la puerta trasera y, hasta ahora, mantuvimos en secreto la pequeña aventura.

Y usted podría preguntarse por qué decidimos revivir esa experiencia y darla a conocer a nuestros millones de lectores. Bueno, por un par de razones. Por una parte, se trata de una historia verdadera. Ocurrió realmente. Pero más significativo aun, ilustra varias de las características más importantes de nuestra generación y cómo esas características tendrán un papel preponderante en el engaño de los últimos tiempos profetizado en la Biblia.

Finalmente, quisiéramos hacer una observación más. En cuanto vimos esa luz que danzaba en la superficie del lago, decidimos que debía ser un mensaje de Dios. Después, descubrimos que solo era una linterna. Actualmente es claro que era ambas cosas. Quizás nos llevó más de veinte años llegar a esta conclusión, pero hoy, mientras escribimos este libro, sabemos que había un importante mensaje a un metro de profundidad en el agua. Esperamos que usted pueda aprender algo de nuestra pequeña experiencia también, sin necesidad de mojarse en el proceso.

TENDRÍAN QUE HABER ESTADO ALLÍ

Probablemente el aspecto más poderoso de nuestra situación esa tarde, mientras caminábamos por la playa, es también el más obvio. Esa característica quizás se resuma mejor con una palabra: *contexto*. El *Diccionario enciclopédico Espasa 1* define *contexto* como «conjunto de circunstancias que acompañan a un suceso» y nuestra historia en realidad no tiene mucho sentido sin él. Tal vez todos hayamos tenido la experiencia de contar una historia que nos pareció increíblemente divertida y que se recibió con una mirada ausente, o quizás, con suerte, con una cortés sonrisita. ¿Cuál es nuestra respuesta a esa reacción? «¡Tendrían que haber estado allí!» Obviamente pensamos que si hubieran estado allí, y *hubieran participado de todo el contexto*, podrían entender el chiste de la misma manera que nosotros. ¿Qué hubiera pasado si nuestra pequeña historia incluyera la parte del hallazgo de la linterna, sin mencionar que sucedió cuando regresábamos de ver *Los ladrones del arca perdida*? Probablemente se hubieran preguntado: «¿Qué pretenden estos tipos?» Sin el contexto o el marco, la historia parece no tener mucho sentido. (Esperamos que dentro de su marco, realmente tenga sentido.)

Pero queda el hecho de que íbamos a casa después de haber visto una gran película de aventuras de Indiana Jones. Acabábamos de ver una película no solamente producida en forma brillante, sino completamente llena de emoción, intriga y hechos sobrenaturales. Si alguna persona arrojó la linterna al agua para ver si alguien completamente vestido entraría caminando al agua, no pudo haber elegido un mejor momento. Por ejemplo, ¿qué hubiera ocurrido si esa noche hubiéramos venido de ver un partido de béisbol? Es difícil decirlo con certeza, pero es improbable que hubiéramos llegado empapados a casa.

Consideremos otro ejemplo aun más dramático. ¿Qué si regresábamos del teatro, pero en vez de ver *Los ladrones del arca perdida*, hubiéramos visto la película *Tiburón*? ¡Uuf! Quieren hablar del contexto. Probablemente sea certero afirmar que nadie habría logrado que alguno de nosotros entrara caminando al agua por ningún motivo. Pero, recuerden, la situación en la playa hubiera sido físicamente la misma. La luz habría tenido el mismo aspecto. Sin embargo, el contexto habría sido distinto. Sobre todo, en vez de esperar un mensaje de Dios habríamos esperado que nos comiera un gran tiburón blanco, aunque eso hubiera sido imposible en poco más de un metro de agua dulce. ¡Qué diferencia puede marcar el contexto!

Sin embargo, no es necesario que uno vea una película multimillonaria de acción para afectar espectacularmente el elemento contexto. Consideremos otro ejemplo. Por favor, imagine que oye pasos en la acera detrás de usted. ¿Tendría ese mismo sonido un significado diferente una tarde de sábado del que tendría en la oscuridad, en medio de la noche? ¡Es mejor que piense que sí! Sin embargo, cuando piensa al respecto, en lo que respecta al sonido, es idéntico en ambos casos. Pero, dado que el contexto es completamente diferente, las dos situaciones son del todo diferentes también, y lo mismo ocurre con sus reacciones.

Así como *Los ladrones del arca perdida* afectó poderosamente nuestro contexto esa noche, toda nuestra generación está bajo la influencia de impactantes imágenes, visiones y nuevas posibilidades. El hecho de ver imágenes claras y perfectas en la pantalla grande o en el televisor en casa nos ha convertido en una generación dispuesta a todo. Cada día se graban poderosamente en nuestra mente y en nuestro consciente nuevas ideas.

¡Grandes expectativas!

Esa noche de verano íbamos a casa en un estado de absoluta expectativa y pensábamos que a la vuelta de cada esquina podría esperarnos, o aun podría ocurrir, algún tipo de aventura. Todos sabemos que si esperamos algo con todas las fuerzas, a menudo lo hallaremos, o al menos pensaremos que lo hemos hallado.

Hace algunos años nuestra prima y algunas de sus amigas decidieron hacer algo que era bastante común entre los adolescentes de ese tiempo. Decidieron tener una sesión espiritista. En sus mentes jóvenes, no consideraron que esta fuese una actividad demoníaca; era solo otro juego en una fiesta, sin más efecto negativo que un juego de palabras cruzadas.

Debido al reciente asesinato de Martin Luther King, decidieron hacer contacto con su espíritu. Apagaron las luces, encendieron velas y desarrollaron todos los procedimientos que consideraron adecuados para la ocasión.

Después de unos minutos, mientras todas estaban sentadas alrededor de la mesa, sucedió algo. Una araña bajó desde el techo frente a ellas y quedó colgada sobre el centro de la mesa. Probablemente pueden imaginar lo que ocurrió después. Cada una corrió escaleras arriba chillando y mortalmente asustadas por lo que creían haber hallado. Pensaban que Martin Luther King había vuelto a la vida en la forma de una araña, lo que provocó que se les pusieran los pelos de punta.

Como todas nuestras historias, esta es absolutamente verídica y esperamos que ilustre también un punto importante. Aquellas muchachas pensaron que en la araña que vieron estaba el espíritu del Dr. Martin Luther King porque eso era lo que esperaban. Deseaban con ansias que algo sucediera, y así ciertamente ocurrió. Sus expectativas eran tan grandes que vieron lo que esperaban.

En la actualidad el mundo vive en un estado de expectación absoluta y cree que nuestro mundo está a punto de sufrir una transformación mayor que cambiará los fundamentos mismos de la vida tal como la conocemos. ¿Por qué? Bueno, existen muchas razones en las que se incluyen las poderosas imágenes de Hollywood. Sin embargo, no cabe duda que la velocidad del cambio en el mundo tiene mucho que ver con ello también. Después de todo hemos visto que la humanidad ha pasado desde el primer vuelo de los hermanos Wright en Kitty Hawk hasta el hombre que camina por la Luna en solo sesenta años. Así, mientras nos sentamos a mirar el transbordador espacial que lleva hombres al espacio como un gigantesco ómnibus, tenemos que hacernos la pregunta obvia. ¿Hacia dónde vamos a partir de ahora? Desde los hermanos Wright al transbordador espacial y luego, ¿hacia dónde a partir del transbordador espacial? De repente parece que todo el mundo está en el estado de expectación que nosotros sentimos esa noche.

Deseamos creer que hay algo más allá afuera. Para algunos es la búsqueda de poderes síquicos, largamente escondidos en esa porción misteriosa no descubierta del cerebro. Para otros es la creencia emergente de que todos somos uno, todas las moléculas del universo unificadas de alguna manera por una conexión mística aún no descubierta. Y para otros, es la expectativa de contacto con especies extraterrestres que nos dan a entender que no estamos solos en el universo. Sea lo que fuere, el tema es el mismo. La nuestra es una generación no solo preparada para algo grande, sino también que lo espera ansiosamente o hasta lo busca con intensidad y decisión.

Esa noche, parados en el agua, estábamos en un estado de total expectación. Cuando vimos la luz en el agua, no establecimos de inmediato la explicación lógica posible. Pensábamos que habíamos encontrado lo que esperábamos. Tal es el poder de la expectación.

Logré lo que pedí

Así como nuestras expectativas de encontrar una aventura «a lo Indiana Jones» al regresar a casa desde el cine realmente nos hicieron «encontrar» una, también la gente hallará su «aventura» si lo desean con ansias. Toda esta idea de grandes expectativas en realidad enfatiza en gran medida lo que esta generación es. Más que en cualquier otro tiempo en el pasado, el nuestro es un mundo lleno de expectativas por alcanzar, y a menudo alcanza, cosas que no podemos explicar. Este anhelo no se limita a un grupo económico ni social. Traspasa toda la sociedad, y de una u otra manera nos afecta a casi todos.

Por ejemplo, tomemos a Hillary Clinton. Se trata de una mujer bien educada, abogada, primera dama de la nación más poderosa del planeta. Ella promueve sesiones espiritistas y trata de hacer contacto con espíritus de personas muertas. Públicamente se considera «cristiana muy consagrada» y «mujer seria, juiciosa y de oración», pero los fines de semana le gusta charlar con Mahatma Gandhi y Eleanor Roosevelt. Sin embargo, la señora Clinton no puede consolarse en el hecho de que está lejos de ser una mujer solitaria. Nancy Reagan usaba astrólogos, los cuales, según creía, podían ayudar a guiar la nación. Hay estudios que mostraban la filosofía de la Nueva Era como de «significativo interés» para quinientos mil estadounidenses más o menos en 1976, ¡pero una investigación en 1996 muestra que el número se ha elevado a más de veinte millones! Es una señal de los tiempos.

¿HA PERDIDO LA CHAVETA UNO DE CADA TRES ESTADOUNIDENSES?

Por tanto, ¿qué tienen en común todas estas personas? Su sentido de expectación. La creencia absoluta de que algo grande tiene que pasar y que esta es la generación que tiene que verlo. Sea que se trate de un contacto con extraterrestres, con humanos muertos de otras épocas o espíritus de otra dimensión, esta generación ha dejado todas las puertas abiertas y sus miembros están preparados para algo sensacional. Una reciente encuesta *Time*/CNN ha mostrado que uno de cada tres estadounidenses verdaderamente espera que tendremos contacto con extraterrestres dentro de los próximos cien años. Imagínese. Uno de cada tres. Si usted está en una habitación con otras dos personas ahora mismo, pregúnteles. Podría sorprenderle lo que oirá.

¿REALIDAD? ZZZ...

Otra consecuencia de vivir en un mundo de conocimiento increíble y de un acelerado ritmo de cambio es el hecho de que somos cada vez más difíciles de impresionar. Aun cuando nos encontramos con algo que se las arregla para impresionarnos, el impacto no dura por mucho rato. Sin duda, parte de esta situación se debe al continuo aluvión de nuevas tecnologías que entra en nuestra vida. Pero los medios de comunicación masiva también juegan un papel importante. Cada película parece empujar las cosas un poco más adelante, haciendo que sea cada vez más difícil que la realidad de nuestra vida compita con ellas. La televisión nos asedia continuamente con imágenes que hacen que la realidad parezca más que un poco aburrida. Ese era el mundo que estábamos degustando esa noche al regresar del cine a la casa. Nuestras vidas sin duda parecían aburridas y sin un propósito elevado en comparación con las aventuras de Indiana Jones.

Todos hemos oído la expresión «estuve allí, hice aquello». Ese es casi un himno de la gente joven de esta generación. Para los muchachos que ahora crecen en un mundo de computadoras, Internet, viajes espaciales y antenas parabólicas, no necesitan mucho tiempo para aburrirse con lo que tienen y comenzar a considerar un nuevo paso. Aun cuando trabajen (o jueguen) en computadoras que son centenares de veces más rápidas que la computadora más rápido de hace cinco años, no se sienten felices y quieren algo que sea un poco más rápido. Las pantallas de televisión son cada vez más grandes, los autos se hacen cada vez más veloces y nuestra tolerancia al estado actual de las cosas tiende a desaparecer.

Imaginación, ¡estás libre!

Unos pocos años antes de que los hermanos Wright lanzaran con éxito su primer vuelo en aeroplano en Kitty Hawk, Lord Kelvin declaró: «Máquinas voladoras más pesadas que el aire son un imposible». No estaba solo en su afirmación. Mucha gente consideraba que la idea era puro curanderismo, y hasta la prensa mostró poco interés en su pequeño «experimento». En forma similar, al comentar los planes de Fulton de un barco a vapor, Napoleón dijo: «Usted puede hacer que un barco navegue contra el viento y las corrientes si enciende una fogata bajo la cubierta ... No tengo tiempo para tales tonterías». Por cierto, tales personas tenían razón al expresar su escepticismo. Eran ideas nuevas y radicales en tiempos cuando los avances nuevos y radicales eran muchos menos y más distanciados que lo son ahora.

Sin embargo, si en la actualidad pregunta a su alrededor, son muy pocas las cosas que la gente está dispuesta a dejar que se marquen como imposibles. Eso es completamente exclusivo de nuestra generación. Viajar más rápido que la velocidad de la luz, transportar la gente mediante un rayo de luz, edificar ciudades en otros planetas, ya nada de esto parece discutible. Cosas que no hace mucho tiempo eran ciencia ficción, ahora sencillamente son futuristas. Las cosas maravillosas que vemos en *Viaje a las estrellas* ya no las consideramos fantasía. Más bien, el espectáculo nos permite ver lo que el mundo será dentro de pocos años.

En realidad, también hay momentos hoy en que las distinciones entre el hecho y la fantasía se oscurecen. El cine y la televisión tienen el poder de cambiar nuestro sistema básico de creencias, a fin de hacernos creer que las cosas imposibles son posibles. En nuestra historia en particular, el cine nos hizo exactamente eso. Alimentó nuestras imaginaciones y, al menos por un tiempo, aflojó nuestras riendas en cuanto a lo que era posible en lo que creíamos y lo que no lo era.

EL TIBURÓN EN LA PISCINA

Imagínese parado en una esquina rodeado de gente a eso de las once de la noche. Ve que una luz cruza a gran velocidad el cielo. ¿Era una estrella fugaz? ¿Un meteorito? ¿Un avión que caía? ¿Un ovni? ¿Cree que su juicio cambiaría si acabara de ver una película como *Rumbo a las estrellas* o *El día de la independencia*, que si solo acabara de salir del Planetario? Es muy probable que sí.

¿Y qué de la película *Tiburón*? ¿Conoce personas que tuvieron miedo de entrar al agua por un tiempo después de ver la película? ¿Quién los podía culpar por ello? Era una muy buena película de terror. Sin embargo, lo que resulta asombroso es que el efecto no se limitó solo a las zonas donde por lo general se ven tiburones. La gente temía bañarse en lagos de agua dulce y aun en piscinas. Mediante la combinación de vívidas imágenes con música impactante y fuertes emociones, los productores de cine parecen ser capaces de cambiar nuestras percepciones de lo que es real y de lo que es posible.

Otro ejemplo es la película *Parque jurásico*. En esa película los científicos descubren minúsculos fragmentos de DNA sepultados en ámbar, que de alguna manera se habían preservado a la perfección durante millones de años. El DNA es un material genético que se encuentra en todo ser vivo y contiene el programa con las instrucciones para crear esa forma de vida. Mediante la extracción de esas muestras de DNA y el cuidadoso cultivo de ellas a través de procedimientos científicos muy rigurosos, los científicos de la película pudieron crear dinosaurios vivos y con aliento. Era una gran contribución a la ciencia ficción, todo eso es cierto. Pero hizo algo más. Compruébelo, hablamos con muchas personas que vieron la película y les hicimos una pocas preguntas solo para saber qué pensaban. Las conversaciones nos dejaron mudos de asombro. La mayoría de las personas expresaron su deseo sincero de que en verdad existieran esos fragmentos de DNA perfectamente preservados. De esa manera, los rigurosos procedimientos científicos podrían ponerse en acción para producir verdaderos dinosaurios. Pensaban en realidad que el elemento faltante era el DNA y no la tecnología para convertir el DNA en criaturas vivas. Así que recuerde, la creencia es algo subjetivo y es importante no dejar que su cerebro funcione con piloto automático. Si escucha algo que parece un tanto radical, cuestiónelo, investíguelo y descubra si es algo que desea creer. Por cierto, no tiene tiempo para hacer esto con cada cosa que se le pone por delante, y francamente no es necesario hacerlo. No hay necesidad de saber cómo funciona un teléfono para hacer una llamada. Pero tenga en guardia la puerta de su mente cuando se enfrenta a nuevas creencias, porque una vez que comienza a creer que algo puede ser cierto, puede llegar a ser muy difícil un cambio de parecer.

Qué generación esta en que vivimos

A menudo, cuando se habla de los últimos días, oímos de terremotos, hambrunas y guerras. Por cierto, estos y otros sucesos son señales que la Biblia nos da para identificar los tiempos en que vivimos. Más aun, aunque gran parte de lo que hace que esta generación sea única, no se menciona en la Biblia en forma específica, un examen más detenido nos permite ver no solamente que muchas de estas características son componentes clave muy definidos del escenario de los últimos tiempos. Son clave a tal grado que la comprensión de ellos puede en forma muy real dar vida a la profecía bíblica.

Como hemos dicho, somos una generación con un contexto muy especial, con una visión peculiar del mundo, creada por una combinación de factores que no existían en ninguna otra generación. En la actualidad tenemos la televisión mundial. Hemos entrado en la era espacial y en la generación de la computación. El conocimiento se duplica cada dos años. Las películas de Hollywood proyectan impactantes imágenes en nuestros corazones y en nuestras mentes. Tenemos un apetito insaciable por progresos nuevos y maravillosos. No tenemos la disposición de declarar que algo es imposible, y conservamos una creencia fundamental en el sentido de que todo lo que nuestra mente pueda crear, también se puede crear en la realidad. Lo más importante cuando pensamos de nuevo en las cosas de las que hemos estado hablando, es que todos estos factores entran en acción exactamente a un mismo tiempo.

Como verá, cuando estos factores se suman, lo hacen con resultados explosivos. La combinación de dos de estos factores no hace que el resultado tenga doble potencia. Jamás. En realidad, todo el efecto es mucho más que la suma de sus partes. Al igual que mezclar nitro y glicerina, los resultados pueden ser explosivos.

CAPÍTULO 4

La creación deliberada de la irrealidad es una de las fuerzas sociales que sirve de eje a la formación de nuestro tiempo.

Ian Mitroff y Warren Bennis, tesis del libro The Unreality Industry [La industria de la irrealidad]

EL EVANGELIO DE VIAJE A LAS ESTRELLAS

¿Me está diciendo que en cualquier minuto ahora millones de personas simplemente van a desaparecer del planeta y que la Biblia lo anunció hace miles de años?

—Exacto. Se llama el Arrebatamiento.

—¿Qué ocurre entonces?

—Bueno, los que desaparecieron van a estar con Jesús para siempre. Mientras que para el resto del mundo marca el comienzo de un período de siete años de engaño llamado la tribulación.

—Perfecto, he aquí el asunto. Si millones de personas desaparecen y resulta que son todos ustedes los cristianos chiflados, lo creeré.

—Me gustaría que fuera así de fácil. Pero va a haber razones de peso para creer que no fue el Arrebatamiento. Usted no puede ni siquiera comenzar a imaginar lo convincente que será el otro evangelio.

—¿Otro evangelio? ¿Qué otro evangelio?

—El evangelio de *Viaje a las estrellas*.

¡EH, ESE TIPO CAMBIÓ EL MALETÍN!

Si ha visto películas de espionaje, tal vez lo haya visto. Es la famosa escena del cambio de maletines. El malo se acerca en actitud despreocupada al bueno que está sentado en una silla o de pie en una cabina telefónica. Cuando nadie lo mira, se inclina con disimulo y pone un maletín falso junto al original. Entonces, ¡pum! El original desaparece y todo lo que queda es el ingenioso sustituto.

La Biblia nos dice que eso es exactamente lo que va a ocurrir en los últimos tiempos. Dios va a permitir que Satanás introduzca su falso cristo (el anticristo) además de su falso evangelio.

Ahora bien, para que este falso evangelio engañe a todo el mundo, tendrá que ser doblemente astuto. Piense en ello por un momento. No solo tendrá que dar a la humanidad un impactante sistema alternativo de creencias, sino también una explicación convincente para los hechos que Dios ha dicho que ocurrirán. En otras palabras, tendrá que estar en condiciones de dar una falsa explicación del Arrebatamiento y de las señales y maravillas que el anticristo y sus seguidores podrán realizar durante el período de la tribulación.

Debemos considerar algo más. Si vivimos en los últimos momentos antes del Arrebatamiento, es lógico que debamos ver el surgimiento del otro evangelio en el mundo de hoy.

PARA SEGUIR AUDAZMENTE

Eso es exactamente lo que está ocurriendo, como si estuvieran en secuencia. El falso evangelio es distinto y de largo alcance. Viene al mundo desde ángulos tan diversos que se necesitaría escribir todo un libro solo para dar la lista que los incluya a todos. Sin embargo, todos sus hilos están muy bien representados en un lugar, la serie de televisión *Viaje a las estrellas*.

Es cierto. En las continuas aventuras a bordo del *Enterprise*, hay todo un sistema de creencias tan completo, tan convincente y tan impactante, que literalmente representa la más grande alternativa al evangelio que se haya ofrecido a la humanidad. Dado el sentido de expectativa y esperanza que existe en nuestro mundo actual, es una falsificación diseñada a la perfección para este momento preciso de la historia.

¿Sabía que cuando apareció *Viaje a las estrellas* en la televisión en la década del sesenta no tuvo un buen recibimiento? Puede sorprenderle saber que el programa ni siquiera se mencionó en la lista de los cincuenta principales éxitos de la NBC.

¿Cómo un programa que hace tres décadas apenas pudo permanecer en el aire puede ahora tener un impacto tan grande? Simple. Cuando la humanidad comenzó a ver los programas espaciales *Apolo* y el nacimiento del transbordador espacial, se puso cada vez más a tono con las ideas de la exploración del universo. *Viaje a las estrellas* se sindicalizó y se convirtió en una de las más populares series televisivas de todos los tiempos. El entusiasmo fue tan grande que el productor del programa, Gene Roddenberry, decidió cambiarse al negocio del cine y lanzó su primera película, *Viaje a las estrellas, la película.*

Desde entonces se han producido varias películas *Viaje a las estrellas* y cada una fue un éxito fenomenal. *Generaciones de viaje a las estrellas*, estrenada en 1994, por ejemplo, tuvo una taquilla superior a los cien millones de dólares, reforzando aun más el impacto de *Viaje a las estrellas* en esta generación.

EL ESPACIO, LA GRAN ESPERANZA NEGRA

Para entender mejor el evangelio falsificado que representa *Viaje a las estrellas* necesitamos considerar en primer lugar el verdadero evangelio. La palabra griega que se traduce «evangelio» podría traducirse tan fácilmente como «buenas nuevas». De eso se trata. Las buenas nuevas de Jesucristo. Sin embargo, estas buenas nuevas vienen con un precio. La aceptación del evangelio lleva consigo una responsabilidad hacia Aquel que nos creó. Eso nunca le ha sentado bien a la mayoría de la humanidad.

Entonces, cualquier evangelio alternativo necesita tener su propia versión de las buenas nuevas. ¿No sería más aceptable si no trajera todo el equipaje? Que no le haga falta arrepentimiento, ni necesite enfrentar el pecado; solo paz y felicidad según nuestras propias condiciones. Después de todo, ¿qué futuro parece más prometedor: uno en que se juzgan nuestros pecados o uno en que viajamos a través del espacio en busca de nuevas formas de vida y emocionantes aventuras? Para el inconverso la decisión es clara.

Ese es el poder de *Viaje a las estrellas*. A la gente le gusta la película que pinta el futuro de mejor manera que el plan de Dios. En el futuro de *Viaje a las estrellas*, se resuelven los problemas humanos mundiales y, por lo general, cada uno parece pasarlo bastante bien. Los miembros del género humano parecen haber transado sus diferencias y ahora trabajan en pro de una meta común: «búsqueda de una nueva vida y nuevas civilizaciones».

Nada desconcierta más que el tiempo y el espacio, y sin embargo, nada me desconcierta menos porque nunca pienso en ellos.

Charles Lamb

Pero eso no es todo. Ya lo ve, también hay muchas *especies* de criaturas de otros planetas. Se encuentran klingonos, cardasianos, ferengis y docenas de otros seres de extraño aspecto en la Federación Unida de Planetas.

Por cierto, esto parece un resultado noble y deseable, y sugiere a todos los televidentes que al fin y al cabo hay esperanza para la humanidad. Pero lo más importante es que esta película da al mundo no creyente algo a qué aferrarse y algo en qué creer. Les ayuda a creer que quizás haya esperanzas para este mundo crecientemente violento, contaminado y corrupto. Mientras conservan su interés en *Rumbo a las estrellas,* pueden decir confiadamente: «Cierto, puedo imaginar un futuro en que todos nuestros problemas se solucionan solos». Eso es lo que suministra *Viaje a las estrellas*, una visión alternativa del futuro.

El atractivo es casi universal. Tiene la capacidad de impactar a cada persona que alguna vez haya contemplado los cielos en una clara noche de verano y que se haya preguntado cómo sería viajar hacia las estrellas. Y probablemente no exista persona viva que no haya hecho esto en una u otra oportunidad,

La preparación para el engaño

Antes mencionamos que el evangelio falso debe lograr dos fines. Primero, debe ofrecer una alternativa de buenas nuevas al mundo. Hemos visto cómo la visión representada en *Viaje a las estrellas* hace exactamente eso. Recuerden que aquí no nos referimos solamente a *Viaje a las estrellas*. Se trata de una representación conveniente de un nuevo sistema de creencias, una nueva visión que se extiende por todo el planeta.

Pero además hemos dicho que cualquier evangelio falsificado, si ha de ganar terreno en los últimos tiempos, debe brindar una explicación alternativa para las cosas que Dios dijo que iban a ocurrir durante ese tiempo.

El ejemplo perfecto es el del Arrebatamiento. la Biblia nos dice que antes que se manifieste el anticristo en el escenario mundial, millones de personas literalmente van a desaparecer de la faz de la Tierra:

> Por lo cual os decimos esto en palabra del Señor: que nosotros que vivimos, que habremos quedado hasta la venida del Señor, no precederemos a los que durmieron. Porque el Señor mismo con voz de mando, con voz de arcángel, y con trompeta de Dios, descenderá del cielo; y los muertos en Cristo resucitarán primero. Luego nosotros los que vivimos, los que hayamos quedado, seremos arrebatados juntamente con ellos en las nubes para recibir al Señor en el aire, y así estaremos siempre con el Señor. (1 Tesalonicenses 4.15-17)

Según la Biblia, esas personas serán los creyentes que estén vivos en ese momento. No tendrán que morir. Emprenderán el camino directo al cielo. ¿Cómo podría un evangelio falsificado enfrentar un hecho tan notable?

Súbeme, Scotty

Si el Arrebatamiento hubiera ocurrido hace cien años, no habría habido absolutamente ningún contexto en el cual los que se quedaron

Hay una máxima acerca del universo que siempre menciono a mis estudiantes:
Está garantizado que ocurrirá lo que no está explícitamente prohibido.

Lawrence M. Krauss,
la física de Viaje a las estrellas

abajo pudieran explicar lo ocurrido. Lo mismo podría decirse de cualquier otra generación. ¡Cualquier otra menos esta!

Un cuento que se ha estado oyendo por años dice que un joven que había bebido un poco más de la cuenta se las arregló para pasar una luz roja y dar contra un auto policial estacionado a un costado del camino. En una posición un poco más que difícil de defender, se puso de pie delante del juez en el tribunal lleno de gente y esperó para defender su causa. Cuando el juez le dirigió la palabra y le preguntó si tenía algo que decir, sacó su billetera, la abrió y dijo en voz alta y clara: «Súbeme, Scotty».

No importa si este hecho ocurrió o no. Pero el cuento ilustra el impacto que las imágenes de *Viaje a las estrellas* han tenido sobre nuestro mundo.

Pregunte y trate de encontrar a alguien que no haya oído la expresión «Súbeme, Scotty». Es difícil tarea. Aun la gente que no haya visto un solo episodio de *Viaje a las estrellas* está completamente familiarizado con la famosa expresión.

Desde luego, la frase tiene que ver con el rayo transportador de *Viaje a las estrellas.* Ya lo ve, en el mundo de *Viaje a las estrellas* no necesita tomar ómnibus ni automóviles. Si quiere ir a algún lugar, párese sobre una pequeña plataforma de lanzamiento y el rayo se activará. Lo descompone a usted en energía y transmite esa energía a una nueva localización y lo recompone nuevamente. ¡Abracadabra! Puede ir a cualquier lugar en cuestión de segundos. Es solo ficción, pero recuerde que vivimos en un mundo donde creemos que todo lo que no existe sencillamente aún no se ha inventado.

Eh, ¿dónde se fue toda la gente?

El rayo transportador da al mundo un contexto para la desaparición de las personas delante de sus propios ojos. Significa que al ocurrir el Arrebatamiento, lo primero que vendrá a la mente de la gente será el rayo transportador de *Viaje a las estrellas*. Creerán que alguien llevó mediante el rayo transportador a dichas personas. Ese será el único marco de referencia que tendrán. Qué oportunidad para que el gran engañador dé un paso al frente, se atribuya el crédito por la desaparición de las personas y luego diga a los sobrevivientes que ha venido para conducirlos a un nuevo mundo, «donde ningún hombre jamás ha estado». Solo piénsese en todas las posibilidades que este contexto del *Viaje a las estrellas* pondrá a disposición del anticristo cuyo objetivo es engañar a todo el mundo, y que tiene que comenzar por explicar algo tan increíble y sin precedentes como el Arrebatamiento.

Lo primero que podría decir a los que queden es que los cristianos habían estado retrasando el progreso del planeta. Les podría decir que ahora están listos para el nuevo paso en su iluminación, incluso hasta para dar el nuevo paso en la evolución humana donde, quitados de en medio los cristianos, nada hay que les impida descubrir su destino. La nuestra es una generación que podría tragarse todo eso.

Hasta podría decirle al mundo que los cristianos no se han ido para siempre. Solo están en una especie de receptáculo donde se les prepara para las realidades del nuevo mundo. Eso suavizaría la pérdida de los que quedaron. ¿Qué mejor manera de asegurar la lealtad de gente que de otra forma se revolcaría de rabia y pesar? Piénselo. Imagine que de repente toda su familia desaparece y le deja solo en la Tierra. ¿No se sentiría más feliz al saber que llevaron a los miembros de su familia en el «rayo transportador» para sacar de sus cabezas todas las necedades del cristianismo, en vez de pensar que han desaparecido para siempre?

Sin embargo, la parte más importante de todo el engaño del anticristo en torno al Arrebatamiento es que no hay otras explicaciones lógicas. No tenemos otro contexto dentro del cual dar sentido al acontecimiento que nos preocupa, salvo el que proporciona el rayo transportador de *Viaje a las estrellas*. El mundo podría, por consiguiente, seguir la famosa máxima de Sherlock Holmes y creer que «cuando has excluido lo imposible, lo que queda, por improbable que sea, debe ser la verdad». La explicación de *Viaje a las estrellas* podría ser todo lo que queda.

Ahora bien, como hemos dicho, *Viaje a las estrellas* sin duda no está sola en la preparación del mundo para lo que resta, ni sus productores hacen un esfuerzo consciente a fin de preparar el mundo para el engaño venidero. Sencillamente queremos señalar que *Viaje a las estrellas* ha suministrado al mundo un contexto para entender el Arrebatamiento. Como vimos en el capítulo anterior, nuestro contexto puede tener un impacto inmenso sobre la interpretación que damos a los acontecimientos que nos rodean.

¿Podría ocurrir realmente? ¿Podría la gente creer que tales cosas son posibles en la realidad? Después de todo aquí estamos hablando de ciencia ficción. Ya podemos oír las quejas de los muchos aficionados a la ciencia ficción: «Solo es entretenimiento. ¿Qué son ustedes, cabezas duras? ¿No distinguen la diferencia entre la televisión y el mundo real?»

La física de Viaje a las estrellas: Línea borrosa entre la fantasía y la realidad

Pero, espere un minuto. En el mundo de *Viaje a las estrellas* se tiene mucho cuidado en hacer que todo suene muy lógico y creíble. Al crear la serie de televisión *Viaje a las estrellas: La nueva generación*, los productores contrataron profesores universitarios de física y otras ciencias para hacer que todo pareciera posible. Esta mezcla de hechos y de ficción cuidadosamente diseñada, borra las líneas entre lo que es real y lo que es posible. Así, no sorprendería que en la mente de virtualmente cada admirador de *Viaje a las estrellas* todo lo que vea sea posible por completo; solo es cuestión de tiempo.

De la misma manera la gente que ha visto *Parque jurásico* piensa que lo único que se interpone en el camino de la creación de dinosaurios reales y vivos es la falta de DNA de dinosaurio; muchos también piensan que lo único que impide viajar más rápido que la velocidad de la luz es la invención de los cristales dilitium que dan la potencia al *Enterprise*.

Todo parece bien lógico. Cuando los hechos se presentan de una manera tan creíble, se puede olvidar el hecho de que el presentador sea un científico del siglo veintitrés, y que sus palabras las redactara un escritor de ciencia ficción. Además, podemos llegar al punto de encontrarnos tratando de recordar si vimos una increíble pieza de nueva tecnología en *Viaje a las estrellas,* o ¡en las noticias de CNN!

POSIBLE VS. PLAUSIBLE

Mire, tomados en conjunto, una miríada de factores como el paso acelerado de la ciencia, la expansión del conocimiento, la creciente dependencia de los especialistas virtualmente en cada campo y el continuo bombardeo de ideas de la ciencia ficción, nos ha llevado a un mundo donde no podemos establecer la diferencia entre lo *posible* y lo *plausible.*

¿Cómo podríamos saber dónde está la línea entre la fantasía y la realidad en el día de hoy? ¿Qué pericia tenemos para hacer la determinación? Recuerde cómo pasa el promedio de sus noches en casa. Pone a descongelar comida en el microondas, se va a la sala, se acomoda en su acostumbrada posición frente al televisor. Toma el control remoto, enciende el televisor y durante unos minutos recorre los canales antes de decidir que no hay nada digno de verse. Entonces toma el otro control remoto de la mesita para el café y enciende el video. Presiona un botón y al instante comienza a ver un programa de televisión que dieron la semana pasada después de medianoche. Si piensa en ello, es una tecnología impresionante la que tiene en la palma de la mano. Pero la mayoría de nosotros no tiene idea de cómo funciona eso y no nos preocupa. Lo damos por sentado.

A veces nuestra total falta de sobrecogimiento por el hecho de que esta tecnología exista es más sorprendente que la tecnología misma. La única ocasión en que pensamos en serio acerca del milagro de la televisión, por ejemplo, es cuando pensamos en comprar uno más grande o uno mejor.

La realidad de la situación queda destacada al descubrir que por cualquier norma racional casi noventa y cinco por ciento del público estadounidense puede considerarse científicamente analfabeto. A la luz de esto no es sorprendente que la gente se confunda respecto de lo que es hecho y lo que es ficción. Añádase a ello el hecho de que el mundo tecnológico en la rápida evolución en que vivimos ya hace imposible saberlo todo acerca de todo y tenemos la receta para la confusión masiva y el engaño directo.

Temor de despertar del sueño

Una razón común que muchos jóvenes dan por la que disfrutan de *Viaje a las estrellas*, es que «les gusta escapar». Pero, ¿de qué escapan? La mayoría dirá que es del aburrimiento que han notado en su vida cotidiana. ¡Epa! Como hemos dicho, es notablemente sorprendente. Aquí estamos viviendo en el centro mismo de la época más impresionante de la historia y muchos de los jóvenes de nuestro tiempo dicen que están aburridos. ¡Imagínese que pusiéramos a los muchachos de hoy en una granja del siglo diecisiete! También plantea la pregunta sobre: ¿qué va a hacer falta exactamente para satisfacer nuestro aparentemente insaciable apetito por algo más?

Entonces, quizás la gente no abraza el mundo de la seudorrealidad porque están confundidos. Quizás lo abracen porque quieren con todas sus fuerzas que eso sea realidad. Un excelente libro titulado *The Unreality Industry: The Deliberate Manufacturing of Falsehood and What It Is Doing to Our Lives* [La industria de la irrealidad: la deliberada confección de falsedades y lo que hace a nuestras vidas] considera este mismo problema, y los autores Ian Mitroff y Warren Bennis concluyen que esta podría muy bien ser la situación:

> Estamos inundados de programas que de tal manera borran las líneas entre lo real y lo irreal, que cada vez son menos los que pueden notar o preocuparse por la diferencia. Realmente, por qué preocuparse cuando *la ilusión es preferible* a un mundo/realidad que se ha convertido en algo muy difícil de controlar (énfasis añadido).

¿Cuán preferible se ha hecho la ilusión a la realidad? Bueno, ¿cuánto tiempo pasa el estadounidense promedio delante del televisor? Siete horas diarias. Eso sin tomar en cuenta el tiempo que invierte en los juegos de la computadora o con videojuegos, o viendo películas en el cine. ¡Ah, sí, hoy nos gusta la ilusión! Y como veremos en otro capítulo más adelante, una nueva forma de ilusión diferente de todo lo que el mundo ha conocido está lista para traernos lo último en ilusión: la realidad virtual.

Sin embargo, el aburrimiento no es la única razón por la que tantas almas buscan respuestas en una realidad ilusoria. También hay un deseo creciente de apartarse de lo que podría describirse mucho mejor como las duras realidades de la vida cotidiana. Demasiada guerra, demasiados delitos, demasiada política, demasiada violencia y, como puede apreciarlo cualquiera al leer el diario, la lista podría seguir en forma interminable.

La elección de una nueva generación

Así, otro factor que contribuye a esta decisión de toda una generación de aceptar una vista nueva, aunque irreal de las cosas, viene del hecho de que nuestro mundo se ha hecho tan complejo que no logramos entenderlo. Cuando las cosas se complican, naturalmente tratamos de ponerlas en orden. Como señalan Mitroff y Bennis en *The Unreality Industry*:

> También viene a ser claro que cuando ya no se puede dar coherencia al mundo, sea mediante explicaciones o a través de la acción, entonces buscamos la coherencia en otro lugar ... Puesto que el mundo exterior se hace cada vez más complejo ... al punto que no hay persona ni institución que pueda comprenderlo plenamente ni controlarlo, no solo perdemos interés en enfrentar la realidad per se, sino inventamos realidades sustitutivas ... El propósito fundamental de todas las formas de irrealidad es brindar una ilusión de control. Si los hombres no pueden controlar las realidades que enfrentan, inventarán quimeras sobre las que puedan tener la ilusión del control.

Ahora bien, como dijimos antes, a los seres humanos no nos gusta la idea de un evangelio porque no podemos controlar nuestro destino. Sin embargo, en el mundo de *Viaje a las estrellas* somos los amos del destino; podemos decidir lo bueno y lo malo, lo verdadero y lo falso. Realmente no hay nada más que pueda darnos la ilusión de control.

¿Cómo puede la realidad competir con la ficción? Tan grande es la expectativa de un gran mundo nuevo a lo *Viaje a las estrellas*, que en comparación palidecen nuestros logros reales (los que se hacen en el mundo verdadero). Ya dijimos que la exposición de los artefactos de *Viaje a las estrellas* en la Institución Smithsoniana fue una de las exhibiciones más populares. Atrajo mucha más gente que la sala siguiente que simplemente contenía verdaderas máquinas espaciales (las que hicieron un verdadero viaje a una luna de verdad).

Quizás esto no debiera sorprendernos. Después de todo, ¿cuánta emoción puede causarle el transbordador espacial cuando ha visto la nave interestelar *Enterprise* que se dispara por el espacio a diez veces la velocidad de la luz? Como veremos más adelante, ni aun el anuncio de que podría haber vida en el antiguo Marte logró el tipo de atención que la NASA esperaba. Nuestras expectativas son tan altas que la realidad tiene a veces la dura tarea de mantener el ritmo. De la misma manera que *Guardianes de la Bahía* nos ha convertido en una generación de personas que teme usar traje de baño en público, *Viaje a las estrellas* ha hecho que sea muy difícil impresionarnos con descubrimientos científicos.

Otro punto que tal vez valga la pena mencionar es la diferencia obvia en el costo de producción de lo que vemos en *Viaje a las estrellas* y lo que recibimos de la NASA. Piénsese en la película del histórico primer paso de Neil Armstrong en la Luna. El más grande acontecimiento de la televisión era veteado, en blanco y negro, y tenía la apariencia de un video casero más que de la culminación de un proyecto de miles de millones de dólares para poner al hombre en la Luna. Sin embargo, somos una generación que ama los elevados costos de producción, y lo que esté por debajo del pleno tecnicolor y el sonido estéreo ambiental, será completamente inaceptable. Esta norma da a Hollywood una ventaja sobre la NASA cuando llega a captar nuestra atención, y aun cuando es una ventaja que no pensemos conscientemente al respecto, no obstante tiene un papel de suma importancia.

La ciencia ficción ha tenido un impacto tal sobre nuestro pensamiento, que aun los notables descubrimientos científicos del mundo real con frecuencia se benefician con un poco de sensacionalismo. Como dijo Stephen Hawking: «Los agujeros negros son un ejemplo altamente ayudado por el nombre inspirado que les dio el físico John Archibald Wheeler. Si hubieran continuado con su nombre original de "estrellas congeladas" u "objetos por completo colapsados gravitacionalmente", no se habría escrito ni la mitad sobre ellos».

Mi amor, no olvides pintar el césped con el atomizador

No es difícil ver algo de una relación causa-efecto que se sustenta sola. Aquí estamos, un poco aburridos de la realidad, y habiendo hallado una medida de escape en el osado y nuevo mundo de la ciencia ficción. Mientras permanecemos en él, nos obsequian con maravillosos inventos y una refrescante mirada al futuro que amplía las líneas de nuestra imaginación. ¿Piensa que al regresar al mundo real la vida parece más o menos emocionante que cuando encendimos el televisor? Entonces, aquí estamos, más aburridos aun y muy deseosos del maravilloso mundo que la ciencia ficción tiene para ofrecer. Es casi como una droga adictiva. Mientras más tomas, más necesitas para lograr el mismo efecto.

Para ver este efecto más claramente, mire la más reciente generación de películas de acción y aventuras. Se está haciendo bastante difícil para el héroe de acción el parecer realmente heroico. No olvide, los nuevos héroes no tienen que competir con los nuestros de la vida real. Eso sería fácil. En cambio, tienen que competir uno con otro. Terminator tiene que superar a Indiana Jones; Indiana Jones tiene que superar a Supermán. Y no solo resulta engorroso encontrar dobles especializados y efectos especiales que puedan estar a la altura de las payasadas de los superhéroes más recientes, sino que resulta difícil pensar en nuevas proezas.

En una película reciente vemos héroes que caen de un avión hacia la superficie congelada de un lago. ¿Qué hacen ante un desastre inminente? Sacan sus pistolas y disparan haciendo agujeros en el hielo que les permiten caer al agua sin hacerse daño. Bueno, recordarán que nosotros somos dos jóvenes que crecimos en un lugar llamado North Bay, Ontario, Canadá. Amigos, hemos visto hielo, mucho hielo, y ustedes no podrían abrir un agujero ni siquiera con un cañonazo, mucho menos con una pistola. Pero, ¿no es este el argumento de todo el capítulo?

En un mundo donde pintan el césped de muchos campos de fútbol para que por la televisión parezca más real, el mundo de la ilusión parece más real aun que el que tenemos delante de nuestros ojos, pero, no obstante, es un mundo imaginario y engañoso, creado especialmente para esta misma generación.

CAPÍTULO 5

Aunque un millón de gente crea una tontería, sigue siendo una tontería.

Anatole France

BIENVENIDOS AL PLANETA TIERRA

Imagínese esto. Mañana por la mañana, en medio de *Times Square* en Nueva York aterriza una misteriosa nave espacial. Se abre la puerta, desciende una criatura de aspecto misterioso y, en el espíritu verdadero de la generación de *Viaje a las estrellas*, comienza a hablar en perfecto inglés. Todo el mundo lo estaría viendo, como ha ocurrido con los grandes acontecimientos como el asesinato del presidente John F. Kennedy, el primer paso del hombre en la Luna por Neil Armstrong o la persecución a baja velocidad del Ford Bronco de O.J. Simpson. El extraterrestre entonces nos informa que no solo es de otro planeta, ¡sino también de otra *época*! El hombrecito verde ha venido a visitarnos del futuro y quiere advertirnos de una enorme catástrofe que está a punto de desencadenarse sobre nosotros. Y ahora viene la pregunta del millón de dólares: ¿Le creemos?

Antes que comience a pensar, permítanos hacerle otra pregunta: ¿Piensa que más gente le creería mañana que los que hubieran creído si hubiera llegado cien años antes? A primera vista, la mayoría de las personas piensan que hubiera tenido un mejor éxito hace cien años, cuando éramos menos sofisticados. «Habría sido más fácil engañar a esa gente científicamente ignorante», dice usted.

En realidad, todo nuestro increíble conocimiento y sofisticación solamente nos ha hecho más vulnerables a creerle hoy en día que en cualquier época del pasado. ¿Por qué? Porque su historia ahora parece *plausible*, aun cuando no parezca ser *posible*. De regreso a lo que decíamos, también tenemos un contexto dentro del cual podemos organizar nuestros pensamientos respecto a este tipo de acontecimiento. Cien años atrás no existía ese contexto. No había transbordador espacial, ni *Apolo 11*, *Viaje a las estrellas*, *E.T.*, ni *La Guerra de las galaxias*. La lista podría alargarse indefinidamente. Tratar de hacer que algo completamente nuevo tenga sentido siempre resulta mucho más difícil cuando no se cuenta con un marco en que pueda encajar. Recuerde, sin el contexto adecuado, la gente de Londres, Inglaterra, ni siquiera pudo soportar la idea de un ascensor.

ESTA NOCHE, EN UN PROGRAMA MUY ESPECIAL, LARRY KING...

Bien, ahora tenemos al mundo dividido. La mitad cree, la otra mitad no. Esa noche el extraterrestre aparece en el programa de Larry King junto con varios intelectuales de la NASA y de diversos institutos superiores de ciencias. Uno de ellos nos dice que la teoría de la relatividad de Einstein no descarta la posibilidad de viajar en el tiempo. Una gráfica en la pantalla muestra que el tiempo está formado por ondas, lo que permitiría eludir miles de años si se viaja de cresta en cresta, en vez de seguir los altibajos de la onda. Otros tres personajes concuerdan con el matemático, y todos están de acuerdo en que eso sin duda es posible. De repente usted tendría a todo el mundo de un lado. Bueno, casi todo el mundo. Todavía habría grupos, que la prensa catalogaría de tontos, que estarían de acuerdo en que todo es una especie de conspiración. Sin embargo, la mayoría nos iríamos a trabajar examinando lo que él tenía que decir y haciendo cálculos sobre el modo de eludir la catástrofe futura de la que con tanta amabilidad nos advirtió.

El punto es este. No importa lo que la gente pretenda ahora mismo, todos estaríamos pendientes de este extraterrestre, no solamente porque su historia parece plausible, sino también porque lo hemos esperado. Y porque hemos deseado con ansias que venga.

Puesto que a Satanás se le llama en la Biblia «príncipe de la potestad del aire» (Efesios 2.2) y se dice que viene para engañar al mundo con «gran poder y señales y prodigios mentirosos» (2 Tesalonicenses 2.9), el potencial para el engaño es pasmoso.

Jacques Valle, considerado por muchos como el principal experto del mundo en ovnis, ha llegado a la conclusión de que aunque los ovnis aparentan ser reales, parecen no ser físicos. ¿Podría ser que todo el fenómeno de los ovnis sea un engaño cuidadosamente orquestado que utiliza Satanás para engañar en los últimos días? Una vez más, Jacques Valle hace notar la posibilidad:

Una de las señales más seguras de que hay vida inteligente en el espacio exterior es que ninguno de ellos ha tratado de establecer contacto con nosotros.

Normandy Alden

> Algunos testigos creen haber visto demonios debido a que las criaturas tenían lo imprevisible y la malicia que se asocian a las concepciones populares del diablo. Si quiere pasar inadvertido para la intelectualidad y la iglesia, que no lo detecte el sistema militar, no causar revuelo en los niveles políticos y administrativos de la sociedad, y al mismo tiempo sembrar en esa sociedad dudas profundas y de largo alcance respecto a sus principios filosóficos básicos, esta es exactamente la forma en que tendría que actuar ... Esto es precisamente lo que hace el fenómeno ovni.

BÚSQUEDA DE ESPERANZA EN DONDE NO SE DEBE

No cabe dudas de que algo está pasando. Programas de televisión tales como *Los archivos X*, *Viaje a las estrellas*, y *Tercera roca a partir del sol* se convierten rápidamente en los programas más populares (y los más lucrativos). Películas tales como *El día de la independencia* y *Fenómeno* han implantado récords de multitudes en los cines. Antes de dos meses después de su estreno en julio de 1996, *El día de la independencia* con el interesante subtítulo «Ha llegado el fin» ya tenía una recaudación bruta de doscientos cincuenta millones de dólares. Es obvio que el mundo tiene hambre de esperanzas y está dispuesto a dar el siguiente paso gigantesco hacia el futuro. Sin embargo, desafortunadamente, como veremos, aunque muchas personas en el mundo tienen los ojos puestos en los cielos, esperan un salvador que no lo es.

Es verdad que siempre ha habido buscadores que visitan a los síquicos, que escudriñan los cielos para ver los ovnis y buscan dirección en el mundo de los espíritus. Pero en la actualidad las cosas se han cambiado a la corriente principal, y se convierte cada vez más en una parte importante de nuestra generación. Aun la Casa Blanca no está inmune a este increíble cambio en cuanto a lo que se considera aceptable. Tan pronto como Nancy Reagan y su equipo de astrólogos salió de la Casa Blanca, se mudaron a ella Hillary Clinton y su síquica personal Jean Houston. Según informaciones bien divulgadas, Houston ayudó a la señora Clinton a tener sesiones con el espíritu de varias personas muertas, incluidas Eleanor Roosevelt y Mahatma Gandhi. Al ser presionada, la primera dama negó que fueran reales sesiones espiritistas, y la Houston insistió en que la señora Clinton es realmente una «cristiana muy consagrada» y una «mujer seria, juiciosa y de oración». Entonces, ¿por qué se sienta en la Oficina Oval a tomar el té con muertos? Sencillo. La envuelve la misma ola de espiritualismo que arrastra a toda la nación.

¿Significa esto que la señora Clinton miente al decir que es cristiana? No, no necesariamente. Una de las inclinaciones más alarmantes que vemos en la actualidad es la tendencia creciente entre los cristianos de combinar su fe con una colección de creencias de la Nueva Era. Una reciente encuesta Gallup examinó esta tendencia y halló que casi cincuenta por ciento de los cristianos en Estados Unidos cree en la sanidad síquica, y más de veinticinco por ciento cree en la astrología. Así que la señora Clinton no está «fuera de moda» como algunos han sugerido. Más bien está donde quiere estar, en la principal corriente cultural.

La imaginación en superdirecta

Insistimos en que no podemos descuidar la forma en que las imágenes de Hollywood están transformando nuestras ideas acerca de los ovnis. Hace diez años se burlaban de cualquiera que hablase de ovnis. Hoy la discusión de contactos es muy real. Como ha hecho notar Stephen Hawking, uno de los científicos más prominentes del mundo: «La ciencia ficción como *Viaje a las estrellas*, no solamente es buena como diversión, sino que además sirve para un objetivo muy serio, expandir la imaginación humana».

Este mismo pensamiento lo reproduce Edwin (Buzz) Aldrin, uno de los astronautas de *Apolo XI* y segundo hombre que caminó sobre la Luna. Al rendir homenaje a la serie *Viaje a las estrellas* en un programa especial que celebraba los trece años del programa, Aldrin dijo que la mayor contribución de *Viaje a las estrellas* «ha sido la expansión de la imaginación estadounidense». Un colega agregó que el papel de *Viaje a las estrellas* era vital puesto que «la fantasía es un peldaño hacia la realidad». Como vamos a ver, esta expansión de nuestras creencias acerca de lo que es posible va a tener un papel fundamental en esta increíble generación.

Preparados, deseosos y a la espera

La idea de extraterrestres del espacio exterior que nos visitan en el planeta Tierra no es nueva. Durante los últimos años del siglo pasado, H.G. Wells tuvo a todo el mundo a la espera de marcianos. Ahora, aquí estamos, cien años más tarde, esperando aún visitas de otro mundo, solo que esta vez esperamos mucho más de cerca.

¿Está preparado el mundo para el contacto? Según Tom Jennings, lo estamos. Usted podría preguntar, ¿quién es Tom Jennings? Es el alcalde de Roswell, Nueva México, pueblecito cerca del lugar donde se supone se estrelló un ovni en 1947. En la actualidad más de setenta y cinco mil turistas visitan Roswell cada año para ver el sitio del desastre y visitar el Museo y Centro de Investigación Ovni de la ciudad, estratégicamente situado en la plaza del pueblo. Según el agradecido alcalde, realmente no importa si un ovni aterrizó o no; todo el asunto ha resultado en un impulso de la economía local.

Los índices de audiencia televisiva también sugieren que el mundo podría estar preparado para un mensaje de los cielos. La serie de televisión *Archivos X* se ha convertido en uno de los programas más populares de nuestro tiempo, y trata en forma casi exclusiva de investigaciones gubernamentales y el reportaje de encuentros con extraterrestres. Como ya hemos analizado, programas futuristas como *Viaje a las estrellas* y *Babilonia 5*, siguen haciendo que la idea completa de vida inteligente en otros lugares del universo sea más fácil de tragar aquí en la Tierra.

> ***La gente prefiere estar equivocada y no ser diferente.***
>
> ***Henry Jacobsen***

Los conductores de Nevada también pueden recibir el mensaje mientras conducen por ese territorio, especialmente si deciden tomar la Ruta 375 del Estado de Nevada, cuyo nombre hace poco se cambió por el de Carretera Extraterrestre. A esta ruta, localizada exactamente en las afueras de la base ultrasecreta de la fuerza aérea conocida como Área 51, pronto la honrarán con un monumento que sirva de faro para el aterrizaje de visitantes de otros planetas.

Aun cuando mucho de esto es solo diversión y juegos, en algún punto hay un mensaje importante: El mundo está preparado, deseoso y a la espera de visitas extraterrestres.

NO SOLO DIVERSIÓN Y JUEGOS

En un frente más serio se han erigido gigantescas antenas parabólicas, a un costo considerable, para no hacer otra cosa que escuchar los cielos. Cada día, cada noche, a toda hora, escuchan, escuchan y escuchan. ¿Qué cosa? Algún tipo de señal de vida inteligente fuera de nuestro pequeño mundo.

En un tiempo de presupuesto muy restringido y de déficits crecientes quizás pensara que podría haber oposición a dedicar fondos a un proyecto tan esotérico. Pero no ha sido así. Como ya dijimos, una reciente encuesta *Time*/CNN descubrió que uno de cada tres estadounidenses adultos espera realmente que los extraterrestres hagan contacto con nosotros en los próximos cien años. Aun cuando los recortes federales de principios de la década del noventa prometía la reducción de secciones completas del gobierno, los políticos tuvieron buen cuidado de notar que el presupuesto de la NASA no se reduciría en forma significativa.

No importa qué ocurra, a la fuerza naval estadounidense no la tomarán desprevenida.

Frank Knox, secretario de la Marina de Guerra, 5 de diciembre de 1941

Hasta ahora, estos gigantescos micrófonos hacia los cielos en realidad no han oído algo de mucho interés, pero recientemente los vigilantes de extraterrestres recibieron un impulso cuando la NASA anunció el posible descubrimiento de evidencias de vida en el antiguo Marte. Uno pensaría que con ese increíble «descubrimiento» el mundo se lanzaría hacia un frenesí emocional, pero lamentablemente para los recaudadores de fondos de la NASA, la reacción fue menos que entusiasta. Por supuesto, la gran pregunta es *¿por qué?*

¿Vida en Marte? ¿A quién le importa?

Una posible explicación es que la evidencia no era precisamente muy fascinante. En realidad no encontraron vida en Marte. La vida que encontraron estaba aquí en la tierra en el desierto congelado de la Antártida.

En pocas palabras, esta es la historia según los científicos de la NASA la contaron al mundo. Hace unos quince millones de años un gigantesco asteroide hizo impacto en el planeta Marte, causando un gran revoltijo en el proceso. No solamente mandó rocas y polvo en todas direcciones sobre la superficie del planeta, sino que la intensidad de la colisión fue tan grande que en realidad lanzó como un vólido materia hacia el espacio. Una roca vagó sin destino por el espacio casi todo el tiempo hasta que hace unos trece mil años cayó en la Tierra y aterrizó en algún lugar de la congelada tundra del polo sur de la Tierra. Hace algunos años, los científicos hallaron la roca, la extrajeron del hielo y la llevaron a casa como un recuerdo. Allí permaneció, sometida a cuidadoso estudio, pero sobre todo, solo se quedó allí.

Luego, años más tarde, alguien dio otro vistazo a la roca con un microscopio nuevo y más poderoso, y entonces fue que lo encontraron. ¿Qué era? ¿Una huella? ¿El cráneo fosilizado de un extraterrestre? No exactamente. Lo que tenían era algo que parecía ser semejante a algún tipo de bacteria microscópica. No es sorprendente que el mundo se mostrara aburrido con el descubrimiento. Hubo pocas señales de entusiasmo. El entusiasmo de la NASA consistía en que podría obtener un buen aumento en su presupuesto. El entusiasmo del presidente Clinton se debía a que era un descubrimiento estadounidense y presto se presentó ante las cámaras de televisión para proclamar que «las repercusiones son de tan largo alcance y tan impresionantes como uno se lo pueda imaginar». En realidad, la declaración del presidente resumió el estado de ánimo del mundo. El descubrimiento mismo no era tan fascinante, pero las *repercusiones* de ese descubrimiento, bueno, esa es otra historia.

No se necesitó mucho tiempo para que los medios de comunicación sacaran de no sé dónde toda clase de gente dando su breve «opinión» sobre la historia de la vida en Marte. Wes Huntress del Centro Espacial Johnson hizo notar que el descubrimiento «significa que la vida tuvo su origen en un planeta distinto al nuestro ... y si se originó en más de un planeta de este sistema solar, ¿por qué no podría haberse originado en algún otro sistema solar?» Otro científico especulaba que la vida pudo haberla sembrado en la tierra un meteorito semejante a este. En otras palabras, ¡es posible que todos seamos marcianos!

La búsqueda de hombrecitos verdes

Finalmente, antes de salir de este tema, debemos aclarar que por cada científico que se maravilla ante el descubrimiento de vida en

Marte, hay al menos uno que se maravilla de que otros científicos se maravillen del descubrimiento de vida en Marte. Estos escépticos señalan que la NASA se adelantó un poco a los acontecimientos al anunciar algo tan importante como esto con evidencia sorprendentemente baja.

Ya en su reunión inicial con la prensa, los funcionarios de la NASA reconocieron que las formas que vieron podrían ser bacterias de la Antártida o aun podría haber sido barro seco. Sea lo que fuere, a muchos les parecía que los hombrecitos verdes que la NASA buscaba podrían haber sido Jorge Washington, Tomás Jefferson y Benjamín Franklin. En la parte monetaria nadie estuvo más feliz con el anuncio de la NASA que los productores de la película *El día de la independencia.* Sería difícil cuantificar el efecto de esta publicidad en la venta de boletos, pero usted podría apostar a la segura que fue sustancial.

APUESTA POR E.T.

En cuanto a tiempo, este último «descubrimiento» no pudo ser más oportuno. Aquí estamos, no solo a punto de entrar en un nuevo siglo, sino también a un nuevo milenio y el mundo está realmente preparado para algo así. Considere la historia de un caballero británico que ganó mil quinientos cuarenta dólares en una apuesta que hizo en agosto de 1995 de que se descubriría vida extraterrestre antes de un año. Podría haber ganado mucho más si el mundo no hubiera estado tan ansioso por establecer contacto.

El apostador, William Hill, dice que redujo las probabilidades de descubrimiento de vida extraterrestre de 500-1 a 25-1 y finalmente de 10-1, punto en que estaba cuando hizo la apuesta. Piénsese al respecto. Hill no redujo la proporción de la apuesta basado en alguna búsqueda intensa ni en algún nuevo descubrimiento. Lo único que había cambiado éramos nosotros y nuestras expectativas. Una pegatina de parachoques que se vende comúnmente en las convenciones sobre ovnis resume muy bien la situación. Simplemente dice: «Quiero creer».

Para ver cuán lejos hemos llegado en la realidad con nuestra creencia de que después de todo podría haber algo en esto de los ovnis, considérese que la Federal Emergency Management Agency (FEMA) [Agencia Federal para la Administración de Emergencias] está utilizando un manual de capacitación que incluye una sección sobre el modo de enfrentar situaciones relacionadas con ovnis. El manual, *The Fire Officer's Guide to Disaster Control* [Guía del oficial de bomberos para el control de desastres], lo usan muchos departamentos locales de bomberos en la planificación de los desastres. El capítulo 13 del manual, titulado «Ataques de enemigos y de ovnis potenciales», comienza con las palabras: «En este capítulo volveremos nuestra atención a una amenaza muy real planteada por los Objetos Voladores No Identificados (OVNIS) sea que existan o no».

Entonces, ¿por qué está el mundo tan ansioso de descubrir (y sin duda descubriremos) señales de vida fuera de nuestro planeta? Bueno, por una razón: estamos aburridos. Tan simple como eso. No olviden que esta es la generación que está viendo que la suma del conocimiento se duplica cada dos años. Cuando las cosas se mueven a esa velocidad, como hemos visto ya, un resultado es la asombrosa reducción de nuestro margen de atención. Nuestra generación tiene un hambre voraz constante por algo nuevo, algo más grande, algo más veloz todo el tiempo. Hemos llegado a estar condicionados a esperar el cambio y a necesitarlo. Y grandes cantidades de cambios.

Una caricatura que cuelga en nuestra oficina ilustra muy bien la situación. Muestra a un niñito que está parado frente a un microondas. Tiene un paquete en la mano y le grita a la mamá: «¡¿Dos minutos?! ¡Creí que había dicho que era instantáneo!» Ese es el estado del mundo en la actualidad. Nada es lo bastante bueno. Nada es lo suficientemente rápido. Sin duda se necesitará mucho más que un fósil que quizás en algún tiempo tuviera el aspecto similar a algo que tal vez en algún tiempo tuvo que ver con la vida. Queremos extraterrestres. Queremos platillos voladores. Queremos criaturas inteligentes que hablen inglés, altamente avanzadas, que vengan a la Tierra y nos lleven al nuevo milenio.

¿VIO UN PLATILLO VOLADOR? ¡GRAN COSA! ¡YO ESTUVE EN UNO!

Además, es interesante que en esta generación *ver* ovnis ya no es la orden del día. En cambio oímos cada vez más acerca de *raptos* por extraterrestres. Es como si ya no fuera suficiente ver platillos voladores. Recuerde, esta es la generación de «ya estuve allí, ya hice eso». Siempre se desea algo más grande y mejor que el día anterior. Las estadísticas reunidas por la Fuerza Aérea de Estados Unidos muestra que casi cuatro millones de estadounidenses pretenden que los raptaron extraterrestres. Piense en esto: ¡cuatro millones de estadounidenses! ¡Cáspita!

Sin embargo, para muchos ni siquiera eso es suficiente. Un «raptado», frustrado de que aun los programas sensacionalistas de televisión mostraran que no tenían interés en su historia, se quejaba de que ya no es bastante sensacional que un ovni lo rapte: «Ahora tienes que tener bebés extraterrestres». Por fortuna, hay consuelo para este frustrado amigo. Puede compartir sus penas con otros en uno de las docenas de grupos de apoyo a raptados por ovnis que han surgido en toda la nación. Busque en las páginas amarillas. Puede haber uno cerca de su barrio.

EL PODER DEL NUEVO MILENIO

Con la proximidad del año 2000, este increíble apetito de que ocurra algo muy grande va a hacerse aun más pronunciado. Para un número creciente de personas de esta generación un buen encuentro cercano a la antigua con extraterrestres podría ser exactamente lo que el doctor le recetó. ¿Por qué? Porque responde algunas de las preguntas más grandes de todos los tiempos. ¿Estamos solos? ¿Por qué estamos aquí? Y la más grande, ¿de dónde vinimos?

Mientras continúa la búsqueda de respuestas, y mientras el mundo busca con mayor empeño señales de vida en otros lugares del universo, es fundamental tener presente un hecho importante. *Creer* que hay vida «allá afuera» puede tener el mismo efecto que si realmente *hubiera* vida «allá afuera». Por favor, dedique un segundo a leer de nuevo la última oración. Es esencial entender el *verdadero* poder del fenómeno ovni. Ese poder está en que para el mundo de hoy no es tan importante si existen los ovnis como si se cree que existen. Uno de cada tres estadounidenses espera un contacto con extraterrestres dentro del próximo siglo.

El poder para engañar a todo el mundo

A la luz de la profecía bíblica, la importancia de esta posibilidad es clara. Recuerden, podríamos estar tratando con un hecho sobrenatural. Estamos hablando de Satanás mismo, con su poder de engañar a todo el mundo. Y al mundo no tiene que engañarlo con artimañas baratas como humo y espejos. Ni por asomo.

La Biblia nos dice que aun los creyentes más firmes que hayan vivido podrían confundirse ante el cuidadosamente elaborado engaño de los últimos días, si estuvieran aquí y si Dios lo permitiera. Piense en lo que la Biblia nos dice. Estamos hablando de Moisés, de Noé o del apóstol Pablo. Un engaño tan poderoso no debe subestimarse.

Sumado a este gran poder de engañar hay otro factor muy significativo: las víctimas del engaño *desean* que las engañen. Están aquí, viviendo en este tiempo de conocimientos y descubrimientos sin paralelos, deseosas de que pase algo grande como esto. Quieren más que cualquier otra cosa, respuestas a sus más grandes preguntas, y desean desesperadamente que esa respuesta sea *cualquier cosa, ¡menos Dios!*

Un encuentro con vida extraterrestre, o al menos un aparente encuentro con vida extraterrestre, sería la base para el desafío más grande al cristianismo en la historia del planeta. ¡De la noche a la mañana cambiaría la forma en que la gente se ve a sí misma, a la Tierra, sus orígenes, el universo y el futuro!

Volveremos a hablar un poco más sobre este posible escenario más adelante en el libro. Por el momento, reconozca la forma en que el mundo se prepara para un engaño superior a la imaginación más desenfrenada. No solo explicaría con facilidad el Arrebatamiento, sino que suministraría al mundo un evangelio más poderoso y más aceptable de un solo golpe.

CAPÍTULO 6

La pregunta obvia es qué hacer con la realidad virtual. La respuesta corta es todo lo que quieras.

Insight, 6 de mayo de 1991

LA REALIDAD VIRTUAL

El engaño llega de diversas maneras, y antes de comenzar a pensar que necesitamos el aterrizaje de un ovni para engañar al mundo, miremos algo que está mucho más cerca de casa. Puede estar sobre su escritorio en este instante.

La realidad virtual se ha considerado el «grial sagrado» del mundo de la computación y la tecnología. Aun en el día de hoy, con avances que llegan a un paso imposible de imaginar en cada esfera de la ciencia, pocas cosas son tan prometedoras y fascinantes como la realidad virtual. Cuando piensa al respecto, sin embargo, no debiera llegarle como una gran sorpresa. Después de todo, somos una generación que desea la experiencia por sobre todo lo demás, y cuando aparece una nueva tecnología con la promesa de *experiencia sin consecuencias*, la gente sin duda se va a sentar para tomar nota. Antes de ir más lejos, dediquemos unos minutos a descubrir en qué consiste la realidad virtual. Nos gustaría comenzar dando un preestreno de una de las escenas de un guión que hemos estado preparando y que un día llevará el mensaje de la profecía bíblica a la pantalla gigante.

En esta escena el agente de la CIA, Thorold Stone, llega a una reunión en casa de su nuevo compañero, Willy Holmes.

EXTERIOR (ANTES DEL CREPÚSCULO): CASA DE WILLY

Es una casa de cerca blanca. Completamente ordinaria pero en el campo. Su aspecto da la impresión que una anciana vive en ella. Solo la moto Harley en el camino de entrada indica otra cosa. Thorold pone su auto al lado de la moto y camina hacia la puerta de entrada. Hay un felpudo con la palabra «Bienvenido» en el umbral de la puerta. Al abrirla, Thorold escucha una serie de disparos que vienen del interior de la casa. Adopta una posición de defensa junto a la puerta y saca el arma. Luego, cuidadosamente, abre por completo la puerta.

INTERIOR (CASA DE WILLY): VESTÍBULO

Thorold entra con cautela a la casa. Suenan nuevos disparos.

INTERIOR (CASA DE WILLY): SALA DE ESTAR

Pasó del vestíbulo a la sala de estar, pero allí no hay nada. Se sienten más tiros en una habitación de atrás. Se desplaza hasta la puerta de la habitación trasera y se pone con la espalda pegada a la pared al lado de afuera. Entonces escucha a Willy que habla:

Willy

> Ah, sé lo que estás pensando. ¿Disparó los seis tiros o disparó solo cinco? Debieras preguntarte, ¿te parece que tuviste suerte?

Thorold reconoce la famosa línea de Clint Eastwood y ladea la cabeza, asombrado.

INTERIOR (CASA DE WILLY): HABITACIÓN TRASERA

Se agacha y gira para cruzar la puerta tras su arma levantada, y ve a Willy engalanado con un traje blanco de vaquero, con todos sus adornos, un par de revólveres de seis tiros y con anteojos protectores de realidad virtual de aspecto casero. Está de pie en un molino de cilindros de realidad virtual. Thorold sonríe, pero su sonrisa pronto desaparece cuando Willy se da vuelta hacia él apuntando con el revólver. Thorold grita. Esto asusta a Willy que también grita. Se arranca los anteojos y se enfrentan.

Willy

¡Thorold!

Thorold
(imitando a John Wayne)

¿A quién esperabas, peregrino?

Voz de la computadora

Acabas de recibir un balazo mortal.

Willy

¡Caramba!

Voz de la computadora

¿Quieres intentarlo otra vez?

Willy

No esta noche, Mía.

Thorold recupera la calma y se maravilla del equipo que hay en la habitación.

Thorold

¡Aquí hay algo!

Willy

Toma, prueba esto.

Le pasa unos anteojos y le indica que se ponga a su lado en la unidad. Thorold se pone los anteojos...

EXTERIOR (DÍA): PLAYA DE REALIDAD VIRTUAL
Al instante ve a Willy en traje de baño, de pie delante de él, en una playa. El ambiente es perfecto. Se mira y no puede creerlo. Se toca el estómago. Luego se agacha y toca el agua. Más asombro. Toma un poco de arena en la mano y la deja caer lentamente. Recoge más arena, se endereza y lleva la otra mano como para quitarse los anteojos.

INTERIOR (CASA DE WILLY): HABITACIÓN TRASERA; PUNTO DE VISTA DE THOROLD
Se da cuenta que no tiene arena en su mano. Sigue mirando y ve a Willy que se da masajes en el brazo. Se vuelve a poner los anteojos y está...

EXTERIOR (DÍA): PLAYA DE REALIDAD VIRTUAL
Está de nuevo en la playa y Willy se aplica loción en el brazo.

Willy
(con toda naturalidad)

¿Loción?

Thorold

¿La necesito?

Willy

No más que yo el traje de vaquero.

Thorold
(recorriendo todo con la vista)

Hombre, si tuviera un equipo de estos, nunca saldría de casa.

Willy

¿Por qué crees que trabajo en casa?

Comienzan a caminar por la espuma en dirección a la playa.

Willy

Demos un paseo. He reducido el área de donde viene nuestro misterioso virus. No he podido determinarlo con exactitud, pero viene de una zona de doce millas cuadradas, cerca de Los Ángeles.

Thorold

¿Cuánto más puedes reducir el área?

Willy llama a la computadora

Willy

Mía, mándame el archivo de virus.

Una hermosa muchacha llega a la playa y le entrega una carpeta. Su cabello rojo está peinado estilo colmena. Él toma la carpeta y la consulta.

Willy

Dame un par de días, y te podré decir en qué cuarto se encuentra. Mía está trabajando en esto ahora.

Thorold

¡Fantástico!

Caminan en silencio por unos momentos. Thorold todavía mira hacia todos lados, alucinado por lo que ve.

Thorold
(mirando el reloj)

Creo que debemos comenzar a regresar.

Willy
(riéndose)

Eso es lo bueno de todo esto. No tenemos que regresar. Solo tenemos que partir.

Se quita los anteojos. Thorold ve que Willy desaparece de la playa delante de sus ojos. También se quita el visor de su cara y...

INTERIOR (CASA DE WILLY): HABITACIÓN TRASERA
Vemos los dos hombres de pie en la habitación trasera de Willy.

Thorold

¡Qué interesante es este juguete! Tengo la sensación de haber tenido una agradable caminata por la playa.

Willy

Sí, y eso me ayuda a recordar que las apariencias engañan

ENTONCES, ¿QUÉ ES LA REALIDAD VIRTUAL?

La historia de Willy y Thorold nos permite dar un vistazo a los mundos que nos abrirá la tecnología de la realidad virtual. La realidad virtual se refiere a la tecnología computacional que le permite moverse e interactuar con un ambiente tridimensional generado por la computadora. En general, funciona de la siguiente manera: Usted se pone un par de anteojos especialmente conectados a la computadora; tienen el aspecto de anteojos para soldar, pero un poco más grandes. Pequeñas pantallas de televisión, una frente a cada ojo, le da la visión de una imagen creada por la computadora. Cada ojo recibe una imagen ligeramente diferente, y eso da la ilusión de tres dimensiones (en otras palabras, una percepción de profundidad).

Deje de leer en este mismo momento. Tápese el ojo izquierdo con la mano y mire esta página con el ojo derecho solamente. Ahora cúbrase el ojo derecho y mire la página con el ojo izquierdo. Note que la visión real de cada ojo es ligeramente diferente (podría cambiar de ojo rápidamente varias veces para apreciar realmente este hecho). Mediante la imitación del funcionamiento de la computadora más grande del mundo, el cerebro humano, la realidad virtual intenta, y con éxito, crear la percepción de profundidad.

Pero este no es el final. Los cascos de realidad virtual también tienen mecanismos sensibles que pueden detectar hasta los movimientos más leves de la cabeza. Cuando usted vuelve la cabeza y mira hacia la izquierda, la computadora acomoda las pantallas delante de los ojos para que el mundo virtual parezca moverse cuando usted lo hace. Digamos que va a dar un paseo virtual por la superficie lunar. Entra en el laboratorio de realidad virtual y toma posición en un aparato para caminar. Se pone el casco (con los anteojos incluidos) y está listo para partir. La computadora inicia su trabajo y delante de sus ojos, en las dos pantallitas, aparece una perfecta representación de la luna. Mira hacia arriba y ve el cielo negro, un millón de estrellas y aun la hermosa tierra azul, suspendida en el espacio. Mira hacia abajo y ve la polvorienta superficie lunar que rodea la imagen de sus pies virtuales. Mira hacia la izquierda y ve algunos cráteres y una pequeña colina. Mira hacia la derecha y ve el abandonado vehículo lunar, con resplandores dorados que dejaron los astronautas del *Apolo 14*. Gracias a la estera mecánica de caminar puede llegar hasta el vehículo lunar y andar por los alrededores. En lo que concierne a sus ojos, está allí realmente.

Esta es una descripción muy simplificada de la realidad virtual, pero puede darle una idea de lo que estamos hablando. Cuando comienza a ponerles campanas y pitos, la experiencia puede ser increíblemente real. ¿Cuán real? Bueno, digamos que ahora se preparan a los pilotos de líneas aéreas en simuladores de realidad virtual que son tan reales que les permiten hacer su primer vuelo en un avión real con pasajeros a bordo. En los mejores sistemas de realidad virtual, sus ojos son solo el principio de la ilusión.

UN BUFÉ COMPLETO PARA SUS SENTIDOS

Una empresa de Arizona ofrece un aparato llamado Experience System [sistema de experiencia] que es un sistema de juego de realidad virtual que incluye una gran cantidad de realismo. Tiene una pantalla de muy alta resolución para sus ojos, audífonos estereofónicos para los oídos, una silla sensible al calor para el cuerpo, un guante para la mano que puede realmente manipular objetos en el mundo virtual, y hasta una manguera que se ajusta a la nariz y que emite olores a medida que usted por el ciberespacio. Imagine el realismo que puede experimentar bajo tales condiciones.

Arranca la máquina, y ve ante sus ojos una calle oscura por la que caminan unas pocas personas. De repente siente una fuerte explosión detrás de usted y una ola de calor en su espalda. Se vuelve y ve un auto que ha estallado en llamas a unos seis o siete metros. Puede oír que alguien llama pidiendo ayuda desde el interior, y usted corre hacia la puerta. Ve que su mano toma la manija y siente el calor en sus dedos. Abre la puerta y tiene que retroceder cuando una bocanada de calor le recorre el cuerpo. El olor del humo es insoportable, pero lucha, entra en el auto y agarra la ropa del pasajero del asiento delantero. Es más pesado de lo que pensó, y siente su peso cuando tira para sacarlo del auto. Cuando lo arrastra por el pavimento, se esfuerza realmente debido al peso y lo aleja del auto lo suficiente justo a tiempo. El auto explota y se convierte en una bola de fuego que lo lanza a usted volando hacia su trasero virtual. Siente el dolor al caer al pavimento y entonces se quita los anteojos.

Allí está usted, sentado en el laboratorio de realidad virtual, cubierto de sudor, pero nada desmejorado después de lo pasado. Eso es la realidad virtual.

Esto no es ciencia ficción. Algunos departamentos de bomberos y equipos de emergencia ya han instalado sofisticados sistemas de realidad virtual para capacitar a su personal para emergencias de la vida real.

Y como veremos, este es solo el comienzo de los usos que puede tener la realidad virtual.

HABLEMOS DE UN PAVO

Imagínese sentado a la mesa para la cena de Acción de gracias. Toda la familia disfruta la compañía de los demás, separados durante el año por la geografía. Pero esa noche, están todos reunidos de nuevo, o al menos eso parece. En realidad, usted está sentado solo en su sala de estar, utilizando su fiel traje y sus anteojos de realidad virtual. Su hermano, sentado a su izquierda y que pide le pase las papas virtuales, está en Washington. Su hermana con su marido están en Florida. Sus padres están en Virginia y sus abuelos en Londres, Inglaterra. Sin embargo, aquí está sentado, con «todos juntos» en un mundo virtual.

Según la mayoría de los expertos, ese escenario no está lejos de ser posible. La tecnología que lo hará una realidad ya la tenemos, pero como muchas nuevas tecnologías, sigue siendo demasiado cara para que el promedio de las personas la tenga en casa. Sin embargo, como todas las cosas en el mundo de la tecnología lo elevado del costo disminuye rápidamente y gracias a las enormes inversiones de la industria de los juegos electrónicos, la realidad virtual será una realidad casera dentro de muy poco tiempo. Los viajes virtuales como este pueden convertirse en la norma dentro de pocos años y podría traer verdaderamente el mundo a su sala de estar sin que tenga que salir de casa.

¡NO MIRE HACIA ABAJO!

¿No parece fabuloso? Bueno, lo es. En el mundo de la realidad virtual esto es solo el comienzo. Los sicólogos usan la realidad virtual para tratar una cantidad de fobias, incluida la tan común acrofobia o temor a la altura. Los pacientes pueden pasar por una serie de terapias con realidad virtual que los llevan a lo alto de escaleras y edificios, y aun subir a aviones virtuales. ¿Qué tan reales son las experiencias virtuales? Los pacientes informan que las experiencias iniciales son tan reales que a la mayoría les sudan las palmas de las manos, les parece que sus piernas son de goma e incluso vomitan. Aunque la buena noticia es que después de unas tres semanas de sesiones virtuales, más de noventa por ciento de los pacientes han informado una significativa reducción en sus temores.

Imagínese poder enfrentar sus temores y resolverlos en un mundo virtual. La experiencia misma es en todo tan aterradora como si hubiera ocurrido en el mundo real, pero no tiene consecuencias. Si se cae de la torre de Sears, no es una gran cosa; se levanta y vuelve a subirla.

La acrofobia es solamente uno de los temores que se tratan de esta forma. Usted puede manipular arañas virtuales, perros mascotas virtuales, decir discursos públicos ante una multitud de miles y hasta nadar con tiburones virtuales.

La práctica produce lo perfecto

La realidad virtual tiene un valor enorme para personas que necesitan practicar sus habilidades antes de ponerlas en práctica en el mundo real. Ya mencionamos a los pilotos comerciales que aprenden a volar en jets virtuales antes de tomar el control de uno verdadero. Los cirujanos también están usando la realidad virtual para practicar delicados procedimientos de cirugía antes de realizarla en las personas mismas. Imagínese la ventaja para el neurocirujano si ha extirpado un tumor de un cerebro virtual quince veces antes de intentarlo con un cerebro vivo, real.

Los arquitectos usan la realidad virtual para «recorrer» los edificios que han diseñado, y así asegurarse de que todo parezca estar bien y que cada puerta está donde debe estar. Hasta pueden asegurarse que todo el edificio sea accesible a personas incapacitadas, y todo antes de colocar un solo ladrillo.

Mediante el uso de robots en combinación con la tecnología de la realidad virtual, los científicos han desarrollado sistemas que permiten a las personas llevar a cabo tareas altamente peligrosas desde la distancia. Sea la limpieza después de la fundición de un reactor, el rescate de alguien de un edificio en llamas, deshacerse de una bomba o explorar las profundidades del mar, la realidad virtual le permite estar «allí», al menos virtualmente. Como dice el novelista William Gibson acerca de la realidad virtual: «Allá no hay allá».

Es claro que la realidad virtual es una tecnología increíble, y que debiéramos hacer todo lo posible por mejorarla y hacerla más accesible, ¿verdad? Bueno, como en muchos de los aspectos de la vida, la respuesta es un sonoro sí y no. Como ocurre con cada tecnología que ha aparecido en los últimos cien años, también hay un lado oscuro. Volvamos nuestra atención a ese aspecto de la realidad virtual ahora mismo.

VIOLENCIA VIRTUAL

Uno de los grandes problemas del mundo de la realidad virtual es la violencia. ¿Qué ética supone la violación y el asesinato virtual? Si tiene alguna duda de que la realidad virtual irá o no en esa dirección, todo lo que tiene que hacer es dar una rápida mirada a la industria de los juegos computacionales.

En el mundo de las computadoras, juegos tales como DOOM, Combate mortal y Terremoto son poco más que mundos en tercera dimensión (en la pantalla de la computadora) en los que el jugador corre por pasillos, abre puertas y dispara contra todo lo que se mueve. Para que la aventura sea más real, las víctimas chorrean sangre cuando recibe un disparo y hasta gritan de dolor. En un juego, *La ascensión de la tríada*, los soldados nazis

> ***A medida que el poder computacional se abarate, la tecnología entrará en la vida cotidiana. Dentro de una década la gente tomará vacaciones bastante realistas en otros países, o aun en otros mundos. Aprenderán a operar sofisticadas maquinarias sin siquiera tocarlas. Sus niños tendrán juegos de video que harán que Sonic el Erizo y Súper Mario parezcan tan interesantes como una película muda.***
>
> **Time, *17 de julio de 1995***

son los enemigos y, para ganar el juego, tiene que matarlos a todos. En el curso del juego, a menudo hiere a un soldado pero no lo mata. El hombre herido se pone de rodillas y agita las manos en el aire diciendo: «No, por favor, no me mate, por favor, por favor, no dispare». Sin embargo, si no le dispara él sacará un arma y *lo matará a usted.* En otras palabras, si no mata a ese individuo, que con las manos en alto le ruega por su vida, perderá el juego.

VEINTE MILLONES «CONDENADOS»

En el popularísimo juego DOOM [Condenación] usted viaja por corredores y castillos para dar caza a sus enemigos y matarlos con todo lo que tenga, desde cuchillos y pistolas hasta misiles, y aun una sierra a cadena.

Cálculos moderados estiman el número de jugadores en unos veinte millones alrededor del mundo. Si los jugadores se cansan de disparar o de mutilar enemigos suministrados por la computadora, el juego viene equipado para jugar con módem o con la red. ¿Qué significa esto? Significa que ahora puede matar y mutilar a sus amigos también. Digámoslo de frente. Ya llegó la violencia al mundo de los juegos modernos de computadoras, y mientras más sangre, mejor.

En la superficie, hay obvios problemas de sobreexposición a una violencia gratuita. El debate ha sido arduo desde los primeros días de la televisión y lo más seguro es que seguirá todavía por un tiempo.

Los argumentos de los que apoyan la violencia de la televisión y la computación siempre han sido en gran medida los mismos. Primero, está el añejo «Si no te gusta, apágalo», que parece bastante razonable para adultos responsables. Pero cuando se trata de niños que no tienen discernimiento para saber lo que es mejor para ellos, el argumento debe enmendarse a algo como «Esto es solamente un juego, cualquier persona competente puede señalar la diferencia entre esto y la realidad». Bueno, en el mundo de la realidad virtual, el segundo argumento podría desplomarse.

PRÁCTICA CON BLANCOS HUMANOS

Un interesante estudio hecho poco después de terminada la Segunda Guerra Mundial puede arrojar algo de luz en este tema de gran importancia. Un grupo de investigadores del ejército de Estados Unidos tuvo entrevistas privadas y confidenciales con veteranos combatientes de esa guerra. Los estudios revelaron el hecho sorprendente de que solo quince a veinte por ciento de los soldados que estuvieron en combate dispararon sus armas en la batalla. Menos de cinco por ciento de los soldados hicieron la mayor parte de la matanza. Bien, para decir lo menos, este descubrimiento dejó atónitos y anonadados a los estrategas militares que estudiaron la cuestión un poco más profundamente. Al escudriñar documentos históricos, descubrieron que aun en la batalla de Gettysburg, en 1863, noventa por ciento de los mosquetes abandonados que se recogieron después de la batalla se habían cargado pero no disparado. Obviamente estas observaciones perturbaron mucho a la oficialidad militar, y decidieron tomar medidas radicales para solucionar el problema. Uno de los métodos que emplearon (con un éxito fabuloso) fue reemplazar durante las prácticas los blancos impresos con círculos por blancos más realistas con la forma humana. Los resultados fueron asombrosos. En la guerra de Vietnam noventa y cinco por ciento de los soldados dispararon sus armas en combate, lo cual podría explicar el aumento del número de soldados que regresaron con graves problemas sicológicos. Es claro que, representaciones más realistas hicieron más fácil al soldado repetir en la realidad lo aprendido en la práctica.

Un informe acerca de este fenómeno dice:

> Los militares han desarrollado técnicas para vencer esta resistencia [a matar], pero ahora no solamente los militares las usan. Todas las sociedades industrializadas sin querer ahora están sometiendo a sus jóvenes a las mismas técnicas con los mismos resultados. Estamos enseñando a los niños a matar (*Hamilton Spectator*, 8 de diciembre de 1995).

Si los soldados estaban más dispuestos a usar sus armas contra otros seres humanos después de practicar con blancos de aspecto humano, ¿qué ocurre con los niños que matan literalmente a miles de personas de aspecto aun más real en la pantalla de una computadora? Por tanto, ¿qué de la realidad virtual?

Algo especial para el profesor

Considere la siguiente escena. Juanito llega a casa después de recibir en la escuela una reprimenda de su profesor por no haber hecho sus tareas. Se mete a su dormitorio y enciende la computadora. Se coloca el casco y los guantes de realidad virtual y se sumerge en su propio mundo virtual. En ese mundo entra en su sala de clases y ve a su profesor frente a la clase. Entra con naturalidad por el pasillo levanta su escopeta de dos cañones delante de él, y vuela a su profesor en millones de pedazos, aun cuando el profesor le ruega por su vida.

Creo que tendrá que estar de acuerdo en que este es un salto enorme por sobre la violencia de la televisión y aun de juegos tales como DOOM. Más terrible aun, la tecnología que hace que esto sea posible ya existe. Es solo cuestión de tiempo hasta que la realidad virtual sea suficientemente barata para ser tan común como el aparato de video o los computadores lo son hoy en día.

Cuando la emoción se acaba

Con la capacidad de matar un número ilimitado de personas en la realidad virtual, todo sin consecuencias, no es difícil imaginar que surjan casos en que la gente de repente se encuentre con que la emoción de la realidad virtual no es suficiente. ¿Cuánto tiempo llevará a estas personas subir el último peldaño y empezar a matar en el mundo real? Antes que empiece a pensar a qué estamos llegando aquí, considere una vez más el efecto sobre los soldados que usaban blancos de forma humana. Más sorprendente aun, considere que el doble de personas murieron en Estados Unidos durante la guerra de Vietnam que los que murieron en Vietnam. Estamos viviendo en un mundo que ya está propenso a la violencia.

Muchas personas viven más cerca del límite de lo que podríamos imaginarnos.

Es posible que los temas que levantamos aquí puedan parecerles algo familiares. Después de todo, ¿no es esto el mismo tipo de cosas que oímos sobre la televisión, el cine y la pornografía? Bueno, en un sentido la respuesta tiene que ser sí. Pero en el mundo de la realidad virtual hablamos de algo mucho más peligroso. En la realidad virtual se borra la línea entre lo real y lo que no es real, y toda la experiencia es mucho más intensa. Ver en la televisión que un tipo mata a otro es muy diferente de que lo mate usted mismo en un realista mundo virtual. Piénsese cuánto más difícil será hacer la distinción para personas que tienen ya de antes algunos problemas sicológicos o emocionales.

No puedo parar

Hay una cantidad de problemas adicionales sobre los que podemos pensar, aparte del de la violencia cuando consideramos el impacto potencial de la increíble nueva tecnología de la realidad virtual. Uno de los más importantes, y posiblemente ya pensó en él, es el de la adicción. Piense al respecto. Imagínese que introducimos esta tecnología en un mundo como el nuestro. Es una generación que por sobre todo desea experimentar. Generación que hará cualquier cosa por huir del aburrimiento. Enfrentémoslo. No somos una generación fácil de entretener. De repente aparece una nueva tecnología que proporciona la última respuesta para una generación que busca la emoción. Las consecuencias podrían ser de largo alcance.

Glenn Cartwright, sicólogo de la Universidad McGill ha estudiado profundamente el impacto de la tecnología de la realidad virtual y declara: «Si en el mundo virtual usted se convierte en la persona ideal, y luego tiene que regresar para ser la misma persona que era, la experiencia podría ser muy deprimente». ¿Deprimente? Digamos que quedó corto en su apreciación. Usted entra en este mundo y de repente es como un dios allá. Puede hacer lo que quiera, crear el escenario que quiera. Puede ser el más inteligente, el más rápido, el más fuerte, el más sexual. Puede ser treinta centímetros más alto o pesar cincuenta kilos menos y tener el mismo buen aspecto de su estrella favorita de cine. Puede matar a cualquiera que le cause enojo, hacer que sus enemigos lo adoren y hasta hacer el amor con quien se le ocurra. Francamente va a ser un poco difícil salir de ese mundo para volver al trabajo de freír hamburguesas en McDonald.

ADICTIVO COMO LA TELEVISIÓN

Entonces, ¿se hará adictiva la realidad virtual? Bueno, veamos la televisión para comparar. El adulto estadounidense promedio pasa unas siete horas diarias mirando televisión. La misma persona tiene unos treinta y cinco años, lo que significa que habrá pasado casi nueve años completos delante del televisor. La televisión es un medio totalmente pasivo, donde vemos lo que hay para ver y no lo que quisiéramos ver. Si no hay nada que nos interese, de todos modos miramos. La realidad virtual será como la televisión adictiva. Imagínese cuánta más televisión vería si pudiera entrar en su programa favorito para interactuar con los personajes. De repente, se encuentra en la sala de Jerry Seinfeld, y se ríe junto con George, Elaine y Kramer. O Tal vez prefiera ser miembro del equipo en *Sala de Emergencia.* ¿Qué tal sería reunirse con Indiana Jones para una emocionante aventura en las pirámides de Egipto? Es difícil de imaginar que la mayoría de nosotros pudiera salir de casa.

Hace un par de años tuvimos conferencias sobre profecía en Anaheim, California, y como la mayoría de los asistentes de otras ciudades, nos dimos tiempo para escaparnos hacia los Estudios Universal para tener una tarde de distracción. Uno de los recorridos se llamaba «Regreso al futuro», y era algo muy parecido a la realidad virtual. En ese aparato los pasajeros se sentaban en un coche equipado con impulsores hidráulicos que le permitían mecerse hacia atrás y hacia adelante, impulsarse hacia atrás e inclinarse en todas las direcciones dando una verdadera ilusión de movimiento.

Al comenzar el viaje, todas las luces se apagaron, y todo su campo visual se llenó con una película con alta definición en la pantalla. Cuando el «coche volador» se eleva en la película, usted siente que realmente va volando. Si alguna vez tiene la oportunidad de hacer este viaje, hágalo, por favor. Vale la pena esperar. A pesar de las filas de cuarenta y cinco minutos, volvimos a dar la vuelta cuatro o cinco veces.

ADONIS EN EL PAÍS DE LAS MARAVILLAS

Sin embargo, la adicción no es el único problema que tal vez tengamos que enfrentar cuando la realidad virtual forme parte de nuestras vidas. Dediquemos unos minutos para considerar algunas de las consecuencias morales. Cuando la realidad virtual llegue a ser de naturaleza interactiva y permita que «exista» más de una persona en el mismo ambiente virtual, le garantizo que en gran medida el engaño será la regla en vez de la excepción. Pensemos un momento. Si en el mundo virtual tiene la opción de presentarse en la forma que elija, ¿es probable que opte por lo que en realidad es? Si honradamente puede decir que sí, está mucho más seguro en su imagen que el resto de nosotros. En realidad, encontrarse con alguien cara a cara será algo raro. En primer lugar será más fácil hallarse en el ciberespacio. Segundo, si se encuentran cara a cara, la persona se dará cuenta que usted no es el adonis virtual con el que había estado conversando en el mundo virtual.

> ***Cualquier tecnología que funcione con fluidez tendrá apariencia de mágica.***
>
> ***Arthur C. Clarke***

Entonces, es claro que en la realidad virtual uno de los problemas que vamos a tener que enfrentar será el de tratar de distinguir entre lo que es real y lo que no lo es. Este podría ser un problema muy real. Por ejemplo, ¿qué haría si alguien decidiera asumir su personalidad virtual para hacer un viaje por el ciberespacio? De pronto aparece un «tú virtual», que hace lo que lapersonaquiere, sin ninguna consideración de la forma en que eso podría reflejarse en usted. Un día podría encontrarse «allá afuera» consigo mismo.

Moralidad virtual

¿Qué pasa con la moral? No es difícil imaginar un completo desmoronamiento moral en un mundo virtual. Después de todo, ¿por qué afligirse por la moral en un mundo donde no hay consecuencias? La aventura extramarital virtual es el ejemplo clásico. Digamos que su cónyuge, en la realidad virtual, asume otra identidad y tiene relaciones sexuales virtuales con otro ser virtual. ¿Sería malo? ¿Serviría como base para un divorcio? ¿Qué del divorcio virtual? Ya ve, en este terreno hay muchas más preguntas que respuestas. Sin embargo, esta situación demuestra con claridad que el mundo virtual no va a ser un mundo sin consecuencias. Pregúnteselo al esposo cuya esposa lo encuentra en el cuarto de un hotel virtual con una prostituta virtual. Pensamos que las consecuencias para este tipo van a ser muy reales.

Básicamente se reduce a lo que es real y lo que no lo es. ¿Existe algo llamado virtud virtual en la realidad virtual? ¿Qué de la verdad virtual, el amor virtual o la fidelidad virtual? ¿Cómo cambiará esto cuando la realidad virtual se haga tan real como la realidad misma?

¿Hacia dónde va la realidad virtual?

Como en el caso de cualquier tecnología, es mucho más difícil vaticinar hacia dónde irá en el futuro que hablar del impacto en el presente. Sin embargo, en el caso de la realidad virtual, se pueden considerar inevitables algunos caminos futuros. El primero de estos, y quizás del que más se habla (además de ser el más obvio), es el mundo de las relaciones sexuales virtuales.

¿Relaciones sexuales con una computadora? ¡Por supuesto!

Para quienquiera que estudie la realidad virtual es muy obvio que con todos los avances recientes en este campo, y con mayores avances a la espera, la competencia en la venta de relaciones sexuales no puede quedar atrás. La pregunta obvia que brota de la mente de cada persona razonable es, desde luego: «¿Qué? ¿Relaciones con una máquina?» Desafortunadamente la respuesta es un enfático: «¡Por supuesto!»

Si quiere saber cuán grande va a ser el papel que las relaciones sexuales van a tener en el ciberespacio en el futuro, obsérvelo en el presente. Un buen lugar para comenzar es en una parte del mundo del Internet conocida como Usenet. El Usenet es una vasta red de grupos de información, en que personas de literalmente cada rincón del planeta pueden reunirse en un mundo basado en un texto para discutir diversos temas e intercambiar archivos de computación.

Algo para cada uno

Los grupos de información tienen nombres tan variados como alt.business.internal.audit; alt.clothes.designer; alt.tv.baywatch; y misc.forsale.computers. Para el cristiano hay docenas de grupos de discusión, incluidos alt.bible.prophecy y alt.religion.christian. El número de grupos se expande casi a la misma velocidad del universo, y en cualquier momento supera las decenas de miles. Eso no es sorprendente, realmente, dada la diversidad de intereses en el mundo. Ningún tema es tan pequeño que no pueda tener su propio grupo de información, cuando uno habla de millones y millones de personas alrededor del mundo. En otras palabras, no importa en qué esté interesado, con ese tipo de población con la cual trabajar, encontrará a alguien con el que conversar al respecto. Esto explica la existencia de grupos tales como alt.fan.barry.manilow; alt.food.taco.bell y alt.lifestyle.barefoot. Usted sabe que si encuentra a alguien que no tiene nada mejor que hacer que hablar de comidas en el Taco Bell, ha establecido contacto con un grupo apreciable (y aburrido) de personas.

Relaciones sexuales en la red

Sin embargo, cuando se entra en el mundo de la sexualidad en el Internet, no va a tener dificultades en encontrar con quién entablar una conversación. Y va a producirse mucho más que una conversación. Cada día alguien pone pornografía en el Internet para quienquiera que tenga una computadora para ver, se conciertan citas y las relaciones sexuales se venden en docenas de grupos de información. Aquí encontrará mayor actividad que en cualquiera otra parte del Usenet. Con nombres tales como ...sex.pictures, ...sex.spanking y ...picture erótica, no es una sorpresa cuando se tiene la lista de popularidad de los grupos, los de relaciones sexuales generalmente acaparan los números 1, 2, 3, 4, 5, 6, 7, 8, 9 y 10.

¿Quiénes pasan todo el tiempo en el Internet con la boca abierta mirando a otras personas que tienen relaciones sexuales? Bueno, no cabe duda de que los niños están entre los principales usuarios. Después de todo, es mucho más fácil, más barato y menos embarazoso que tratar de comprar pornografía en el kiosko de la esquina. A menos que los padres hayan dado pasos más bien complejos para evitar que sus hijos tengan acceso a tales sitios, entonces nada se interpone en su camino. Mire cualquier grupo de información orientado al sexo y verá mensajes con títulos como este: «¿Cómo puedo esconder cuadros pornográficos en mi computadora para que mis padres no lo encuentren?»

Sin embargo, los muchachos no son la única audiencia para esta basura. Existen otros grupos aun más perturbadores, incluidos sex.sleeping.girls, ...sex.pedophila, y ...sex.children. ¿Relaciones sexuales con una máquina? ¡Por supuesto!

Qué Web tan enmarañada tejemos

¿Qué del resto del Internet? ¿Qué del World Wide Web acerca del cual oímos tanto? Bueno, el sexo no solo es el rey en los grupos de información, sino también el del Web. En los lugares cumbres, según la mayoría de las encuestas, están las páginas de las revistas *Playboy* y *Penthouse*, y una multitud de otras páginas pornográficas.

Se necesitan unos pocos minutos para localizar lugares con nombres tales como «Relaciones sexuales vivas en realidad virtual», «Ciberlujuria« y «Pornopalacio». Uno de ellos tenía la frase «Porno es fabulosa. Porno es buena» al pie de la pantalla.

Muchos lugares ofrecen una vasta selección de cuadros pornográficos, en gran medida semejantes a los ofrecidos en los grupos de información del Usenet. Sin embargo, en la Web hay otra opción que no se encuentra disponible en el Usenet. Es las relaciones sexuales en vivo y se extiende por la Web como un mal sarpullido. Cuando entra en un lugar de este tipo, puede tener un espectáculo sexual privado (por cierto, si paga el precio) con una modelo en vivo. Si es muy tímido, puede hablar con ella a través del micrófono incorporado en la mayoría de las nuevas computadoras. Ella puede responder por los parlantes de su computadora, de modo que es como estar en la misma habitación. Puede sentarse, pedirle que haga lo que quiere y ver todo eso en la pantalla de su computadora. Muchos observadores creen que estos podrían convertirse en los lugares más populares en toda la World Wide Web. Uno de esos lugares se jacta orgullosamente: «Sesenta mil quinientos sesenta y cuatro visitantes en los últimos siete días».

Pero por cierto, estos lugares deben tener alguna línea de defensa de modo que las imágenes para adultos queden fuera del alcance de la curiosidad infantil, ¿no es así? Falso. En realidad, la única línea defensiva es que los padres de los niños usen la computadora. Aunque algunos sitios se pueden bloquear usando «software» de censura para el hogar, la mayoría no se puede, y el único método infalible que los padres tienen para salvaguardar a sus hijos de esa inmundicia es sentarse junto a ellos mientras navegan en la red. Sin embargo, por ahora, nuestro planteamiento es este: Las relaciones electrónicas han llegado, y vinieron para quedarse.

EXTIENDE LA MANO Y TOCA A ALQUIEN

¿Qué tiene que ver todo esto con el futuro de la realidad virtual? Tal vez ya lo adivinó. La sexualidad es un gran negocio en este mundo, y a algunos observadores no les cabe dudas de que también va a impulsar el desarrollo de la realidad virtual. Imagínese las posibilidades de las relaciones sexuales en la realidad virtual. Con un traje especial, los participantes podrían recibir las sensaciones en cualquier lugar que su compañera virtual los toque. Se hace bidireccional en vez del método pasivo del Internet.

El elemento interactivo de la realidad virtual será un agregado muy impactante a la pornografía tradicional. Basta con mirar el número de novecientas líneas sexuales que se anuncian en la televisión por la noche. No hay imagen de ningún tipo, solo audio. Sin embargo, ha disparado una industria multimillonaria. Imagine el impacto al combinar todos estos elementos: vista, sonido y tacto.

Además de la decadencia moral que representa ese mundo, hay otros problemas. En el mundo de las relaciones virtuales, puede tener la compañera que quiera: una estrella de cine, una vecina, una maestra, una secretaria e incluso un niño. Cualquier fantasía se puede representar a plenitud, sin el riesgo de las consecuencias. Pero obviamente hay consecuencias en el mundo *real*, aun cuando no las haya en el mundo *virtual.*

Sin barreras

Por ejemplo, piense en lo que ocurriría en la mente de un hombre que ha estado durmiendo con la mujer de un vecino en la realidad virtual durante tres años y medio. ¿Podría interactuar con ella en el mundo real con la naturalidad de siempre? ¿No sería la tentación mucho mayor de lo que hubiera sido sin la realidad virtual? ¿No se habrían derribado las barreras que lo reprimían? Después de todo han hecho el amor centenares de veces. No se olvide, en el mundo virtual ella es una cómplice voluntaria que lo deseaba a él tanto como él a ella.

¿Qué del guión en que ella resiste sus sugerencias al principio, aun luchando físicamente con él? Luego él supera su resistencia, ella sucumbe, y le dice que siempre lo ha amado más de lo que ama a su marido y que está contenta de que él la haya estimulado a hacer lo que siempre ha querido. De regreso al mundo real, su verdadera resistencia puede parecerle a él parte de la fantasía. Quizás crea que su resistencia será temporal y que es cuestión de tiempo hasta que ella deje que su conciencia siga a su pasión. ¿No es cierto que es un cuadro aterrador?

¿Qué del marido de la mujer? El mundo de la realidad virtual puede ser muy complicado. ¿Cómo se sentiría usted si descubriera que su vecino tiene un sistema computarizado de realidad virtual en su casa y que cada noche, en su propio mundo de realidad virtual, duerme con su esposa? O, peor aun, ¿si ha tenido fantasías sexuales con su hijo o hija de diez años? Aunque nada hubiera ocurrido en el mundo real, ¿no se sentiría terriblemente amenazado y airado de todos modos? ¿No sentiría que han violado sus derechos?

La resbaladiza pendiente de la fantasía y la violencia

Otra preocupación razonable sería el viejo problema de la fantasía que lleva a la realidad. Muchos estudios cuidadosamente controlados hechos en la década del ochenta demuestran que los niños expuestos a la conducta violenta (eliminar a tipos malos) de los juegos de video, después juegan en forma mucho más agresiva que los niños que practican juegos más pasivos, tales como el solitario o el ajedrez. Recordemos el tipo de juegos que había en la década del ochenta. Enemigos dibujados pobremente, irreales y un efecto caricaturesco que sin duda restaba realismo al juego.

Sin embargo hoy, y más aun en el futuro, los juegos son cientos de veces más realistas. Súmese a ello el equipo de realidad virtual y la sensación de haber «estado allá» realmente, y el impacto se acrecienta mucho más. Imagine una vez más a Juanito que llega a casa de la escuela y le vuela la cabeza a su profesor con una escopeta virtual.

Es más que ingenuo pensar que esa conducta, sobre todo si se repite a través de un período, no va a producir efecto alguno en la vida de Juanito en el mundo real. Por sobre todo, tenemos que preocuparnos de la insensibilización. Cuánto más fácil es repetir un acto la vigésima vez que la primera vez. En la realidad virtual puede lograr esa experiencia en un mundo «seguro» antes de llevarlo afuera para la mayor de todas las emociones.

Realidad virtual: la próxima generación

Como es tan frecuente que ocurra, podemos mirar a Hollywood para tener un retrato de cuán «lejos» puede estar el límite de la ciencia. Tengan la seguridad de que Hollywood no nos ha defraudado en el campo de la realidad virtual. Películas tales como *Excelente memoria*, *El jardinero* y *El fantasma en la máquina* ciertamente han ayudado a aumentar el interés en la realidad virtual, y además han pintado un cuadro del punto al que nos puede llevar la tecnología en el futuro.

Sin embargo, quizás el mejor retrato del mundo de la realidad virtual futura se encuentre en la serie de televisión *Viaje a las estrellas: La nueva generación*. A bordo de la nave espacial *Enterprise* hay un maravilloso lugar llamado «holocubierta». Se trata de una habitación que le permite moverse en un ambiente, imposible de distinguir en la realidad, generado por una computadora.

En la holocubierta puede recoger objetos, interactuar con personas, practicar paracaidismo y submarinismo, pelear a espada y a puñetazos, o jugar a las cartas con Abraham Lincoln y Richard Nixon al mismo tiempo. Todo lo que imagine lo puede tener en la holocubierta.

Por cierto, la holocubierta es pura ciencia ficción y el tiempo que tardará en lograrse es un tema de arduo debate entre los expertos en realidad virtual. Pero no importa lo lejos o cerca que esté, una cosa es cierta. La holocubierta tiene el gran papel de dirigir el avance y la velocidad de la investigación. Es el nivel de realidad virtual a que todos aspiran.

Aunque unos pocos episodios de la serie *Viaje a las estrellas* tratan del tema obvio, generalmente no es motivo de preocupación para la tripulación del *Enterprise*. El problema es la adicción. Si pasamos un promedio de siete horas diarias frente al televisor, imagine entonces cuánto tiempo pasará en la holocubierta si tiene una. Hemos trabajado arduamente para hacer algunos cálculos y determinamos que sería aproximadamente ciento por ciento de su tiempo, suponiendo que puede atender sus funciones básicas sin tener que salir de su mundo perfecto.

El engaño: una realidad virtual

Las consecuencias espirituales de la realidad virtual son asombrosas. Piense en la posibilidad de usar la computadora para crear el ambiente que se nos antoje. Es como poder crear nuestro propio mundo. Puede elegir el escenario, el clima, la gente y aun el modo en que esa gente le responderá.

Pero si uno puede elegir cada detalle de ese mundo, ¿no nos convertimos en el dios de ese mundo? Hasta podría hacer que cada persona que se relacione con nosotros se postre ante nosotros y nos adore. ¿Por qué no? Es nuestro mundo.

Recuerden bien que la promesa de ser dioses ha estado siempre en el corazón de la mentira que Satanás dijo a la humanidad. Pero hoy, con el advenimiento de la realidad virtual seremos capaces de oír la promesa y gustar su fruto.

¿No es sorprendente que la misma generación que fue testigo del regreso de Israel a su tierra ha visto la explosión literal que experimenta el conocimiento y que con ansias espera el primer contacto sea también la misma generación que tiene al alcance saborear su divinización mediante la realidad virtual?

A toda velocidad hacia la imagen de la bestia

Sin embargo, esa no es la única consecuencia espiritual de la realidad virtual. Hay una profecía específica que pensamos que aún no se ha entendido. Es la profecía sobre la imagen de la bestia de que habla el apóstol Juan. Al hablar del falso profeta, que gobernará paralelamente con el anticristo, o la bestia, como lo llama, Juan vio algo que ha estado envuelto en el misterio por dos mil años:

> Y engaña a los moradores de la tierra con las señales que se le ha permitido hacer en presencia de la bestia, mandando a los moradores de la tierra que le hagan imagen a la bestia que tiene la herida de espada, y vivió. Y se le permitió infundir aliento a la imagen de la bestia, para que la imagen hablase e hiciese matar a todo el que no la adorase. (Apocalipsis 13.14-15)

¡Qué profecía tan notable! No olvide que Juan estaba viendo con anticipación el día en que todo el globo se unirá en un nuevo orden mundial. La gente de todo el mundo se unirá para adorar y rendir culto a la bestia. Ahora, pues, el falso profeta decide que el mundo debe hacer una imagen de la bestia. Pero no será una estatua de piedra. Es una imagen que vivirá y podrá hablar.

La promesa de ser dioses ha estado siempre en el corazón de la mentira que Satanás dijo a la humanidad. Pero hoy, con el advenimiento de la realidad virtual seremos capaces de oír la promesa y gustar su fruto.

Peter Lalonde

Bueno, pensemos por unos segundos en esta imagen de muy alta tecnología. En primer lugar, todo el mundo tiene que estar en condiciones de adorarla, ¿no es cierto? Entonces, ¿dónde la va a poner? ¿En París, New York o Roma? ¿Cómo podría la gente de Sudáfrica, Nueva Zelandia o China llegar a alguno de estos lugares para adorarla?

No, todo el mundo debe tener acceso a esta imagen. Bueno, podría ser la televisión, dice usted. Eso resuelve la mitad del problema. Ahora puede ver a la bestia en la privacidad de su hogar. Pero la televisión produce comunicación en un solo sentido. ¿Cómo sabrán las autoridades del momento si adora o no a la imagen?

La bestia del ciberespacio

Sin embargo, considere la posibilidad de que la imagen de la bestia no pueda existir realmente en nuestro mundo físico natural. ¿Y si la imagen existiera solamente en el ciberespacio? Por una parte, solucionaría el problema de dónde levantar la imagen. En el planeta cada uno tendrá acceso al ciberespacio y recuerde las palabras de William Gibson, en ese mundo «allá no hay allá».

Además, la segunda generación de sistemas de realidad virtual permitirán que más de una persona real participe en el mismo mundo virtual. En efecto, como nuestra historia de la cena de acción de gracias, cuando la velocidad del Internet alcance los niveles que tendrá en los próximos años, podríamos tener a dos o tres millones participando del mismo mundo virtual.

Entonces, ¿qué si este es el lugar en que la imagen estuviera? Ahora podemos entender cómo una imagen podría vivir y llegar a hablar. En un mundo electrónico e interactivo hasta podemos entender cómo puede ser posible que la imagen sepa si usted la está adorando o no.

Por supuesto, no podemos estar seguros de la forma en que se cumplirá esta profecía, pero una cosa es cierta. Actualmente hay algunas fascinantes posibilidades que no podíamos entender en ninguna otra generación.

CAPÍTULO 7

El futuro no será lo que solía ser.

Arthur C. Clarke

FUTURO: DONDE PASAREMOS EL RESTO DE NUESTRAS VIDAS

En este libro hemos hablado mucho de tecnología, y estamos seguros que estará de acuerdo con nosotros en que los avances que ya hemos visto en esta generación son nada menos que fenomenales. Sin embargo, algunos nuevos avances dignos de reflexión van a entrar en nuestras vidas en un futuro muy cercano. Puesto que el futuro es donde todos pasaremos el resto de nuestra vida, creemos que debemos dedicar unos pocos minutos a dar un vistazo a lo que podría esperarnos a la vuelta de la esquina más cercana.

En primer lugar, queremos dejar perfectamente clara una cosa. Este capítulo no es una predicción del futuro. Creemos que el Señor puede venir en cualquier momento y, por supuesto, eso cambiaría todas las cosas. Suponiendo que no viniera ahora mismo, no vamos a especular acerca de los increíbles avances que podrían venir en el próximo siglo. Los avances hacen que el futuro sea difícil de predecir, y para ver cuán cierto es esto, necesitamos mirar un poco al pasado.

Consideremos, por ejemplo, la electrónica que podría ser el avance más importante producido desde la revolución industrial.

Hace poco más de cien años, la electrónica no existía en la mente de la gente. Por lo tanto, imaginar un futuro electrónico era imposible, y cosas tales como computadoras y televisores electrónicos ni siquiera se vislumbraban en la imaginación.

TENDENCIAS VS. ADELANTOS

De muchas maneras, hoy nos encontramos en una posición similar. Aunque es posible pronosticar tendencias y progresos en algunas industrias específicas, es algo muy distinto tratar de anunciar de buena fe los avances. Y puesto que los grandes descubrimientos que provocan avances son capaces de poner tantas cosas nuevas en acción, pueden producir un efecto que en verdad cambie el paradigma. La imprenta, el automóvil, la televisión, el teléfono, la computadora son inventos que han tenido un tan enorme efecto sobre la sociedad que literalmente han cambiado la naturaleza misma de la forma en que vivimos.

Por eso, en el resto de este capítulo no vamos a tratar de predecir cómo serán las cosas en un futuro imprepisible. En cambio, hablaremos acerca de las tendencias que ya están en proceso. Consideraremos algunas de las más promisorias tecnologías nuevas que nos aguardan. Algunas todavía están en desarrollo, otras ya están listas y solo esperan la viabilidad comercial, mientras otras solo esperan que la gente esté dispuesta a aceptarlas. En cada caso, no obstante, estamos hablando del futuro *real*, no del futuro *posible*.

Tampoco hemos tratado de mirar todas las tendencias actuales del mundo. Específicamente nos hemos concentrado en el futuro de tecnologías que tienen el potencial de cambiar nuestro entendimiento del universo y de nuestro lugar en él. Así como hemos hablado cómo un aparente contacto con el mundo exterior podría cambiar nuestras creencias fundamentales, o cómo la realidad virtual puede cambiar nuestra percepción de la realidad, algunas nuevas tecnologías podrían cambiar también nuestra visión de la vida, de la existencia y aun de la creación. Al informar sobre una de tales tecnologías, la inteligencia artificial, la revista *Time* hace resaltar que la realidad de las computadoras que piensan exige que «extendamos nuestra noción de lo que realmente es el pensamiento humano». La edición especial titulada «¿Pueden pensar las máquinas?» concluye citando al teórico de la computación, Tom Ray, quien afirma que «ahora necesitamos prepararnos para una inteligencia que es muy diferente de la nuestra».

COMPUTADORES QUE PIENSAN

Siempre que se pone a conversar con otras personas sobre lo que la vida podría ser en el futuro y hacia dónde nos podría llevar la tecnología, es seguro que alguien hablará acerca de computadoras con inteligencia similar a la humana.

De una reciente encuesta entre estadounidenses adultos se supo que más de la mitad de los encuestados creían que, en el próximo siglo, las computadoras serán tan «astutas como los humanos y tendrían personalidades similares a la humana». ¿Cree usted que el hecho de que la mitad de los estadounidenses crean esto tiene algo que ver con el impacto actual de los medios de comunicación masiva? ¿Cree que las representaciones del futuro que ofrece Hollywood pueden haber tenido un papel en este increíble optimismo acerca del poder de la tecnología?

> ***Las computadoras no son inteligentes.***
> ***Solo piensan que lo son.***
>
> ***visto en una camiseta***

Piense otra vez en la siempre popular serie de televisión (y las películas derivadas que han producido millones y millones de dólares) *Viaje a las estrellas: La nueva generación.* El oficial tercero al mando de la nave espacial *Enterprise*, el capitán de corbeta Datos, es en verdad una computadora que es claramente «tan inteligente como los humanos». En muchas maneras es mucho más inteligente que sus colegas humanos. ¿Tiene personalidad? Por supuesto que sí.

La posibilidad de que las percepciones del público acerca de lo que será posible en el futuro las hayan afectado el Sr. Data y otros cuadros futuristas de computadoras inteligentes, muy humanas, es sin duda real. Pero dejando a un lado las expectativas y toda la supercheria de Hollywood, ¿cuánto de verdad puede haber tras toda esta situación de computadoras tan inteligentes como las personas? Para responder esa pregunta, demos un vistazo al mundo de la inteligencia artificial.

¿QUÉ ES LA INTELIGENCIA ARTIFICAL (IA)?

El *Diccionario enciclopédico Espasa 1* define la IA como el «conjunto de técnicas que, mediante el empleo de ordenadores, permite resolver problemas cuya solución corresponde a la inteligencia humana». En otras palabras, como su nombre da a entender, se trata de una máquina que piensa. Para ayudar en sus estudios de la IA, los científicos usan algo llamado test de Turing a fin de evaluar los nuevos esfuerzos. Según ese test, un programa de computación puede considerarse «inteligente» si una persona que interactúa con él es incapaz de decir si la persona con la que está tratando es real o no. La investigación y el progreso van mucho más adelantados de lo que se pudiera pensar, puesto que casi cada día se dan gigantescos nuevos pasos.

¿A QUÉ SE DEBE EL INTERÉS EN LA INTELIGENCIA ARTIFICIAL?

Ahora mismo, cuando la mayoría de la gente habla acerca de las investigaciones que se llevan a cabo en el campo de la inteligencia artificial, hablan de todas las maneras en que las máquinas artificialmente inteligentes pueden hacer más fácil nuestra vida. ¿Y quién puede argumentar en contra? Después de todo, nuestros hogares y nuestras vidas ya están llenas de máquinas diseñadas para aligerar la carga de la vida cotidiana.

Es difícil imaginar la vida sin televisión, sin teléfonos, sin fax, sin lavadoras, sin autos, sin aviones y sin todas las cosas pequeñas en la puerta del refrigerador que le entregan cubos de hielo.

Agregar un elemento de sofisticación tecnológica a cualquiera de estos artefactos solo puede considerarse bueno desde el punto de vista de la mayoría. Imagínese un teléfono que pueda decidir por sí mismo el tratamiento que debe dar a una llamada que llega. Imagine una máquina de lavar que pueda separar las ropas de colores de las blancas, y que nunca pierde una media. Imagine un sistema de televisión que automáticamente deje grabado un programa que piensa que a usted le pueda interesar. Eso le suena tentador a cualquier persona. Sin embargo, para algunos resulta aterrador. Me refiero a las millones de personas cuya videocasetera ahora marca las 12:00. «¿Más aparatos electrónicos? ¡De ningún modo! Ni siquiera alcanzo a contar los que ya tengo». Pero la verdad es que los artefactos artificialmente inteligentes podrían tener más atractivo para esas mismas personas.

Inteligencia artificial: el arte de hacer computadoras que se comportan como las de las películas.

Bill Bulko

ES CIERTO QUE MI VIDEOCASETERA PUEDE GRABAR PROGRAMAS, PERO YO NO

Debido al elemento de inteligencia agregado a algunos de los artefactos de nuestra vida cotidiana, la necesidad de nuestra interacción será cada vez menor. Tomemos por ejemplo la grabación de programas de su televisor. Ahora mismo, con el mejor grabador de cintas de video que el dinero pueda comprar, ponerla a grabar varios programas de un fin de semana puede ser un verdadero desafío. En primer lugar, y en esto se queda la mayoría de las personas, tiene que acordarse de hacerlo. Por cada persona que en efecto graba un programa, tal vez haya diez que digan: «Yo también pensé en grabarlo, pero lo olvidé».

En segundo lugar, como ya mencionamos, no podrá poner el cronómetro para que grabe el programa de las 6:30 si su videograbador siempre marca las 12:00. Digamos que se acuerda que quiere programar el videograbador y se las arregla para hacerlo como es debido. La tarea más difícil es tener que recorrer toda la guía de TV de punta a cabo para asegurarse de que no se pierde un programa en el que está interesado.

Es fácil decir: «Quiero grabar *Esta semana en profecías bíblicas* cada noche a las 7:30 en TBN». Pero, ¿qué del especial sobre *La búsqueda del arca de Noé* que está en el canal 83 a las 4:30 del próximo martes? ¿O un programa llamado *El huerto* que transmitirán esta noche? ¿Se trata de cultivo de verduras? ¿Es sobre el huerto de Edén? ¿Es una película sobre un anciano al que no le queda otra cosa en la vida que su pequeño jardín de flores en la azotea de su casa? Quizás sea la historia del Madison Square Garden, el estadio deportivo de la ciudad de Nueva York. Aquí es donde la tecnología IA comienza a parecer verdaderamente maravillosa.

NO SE PREOCUPE; MI COMPUTADORA LO SOLUCIONARÁ

Ahora mismo, gran parte de la investigación de la IA se dedica al desarrollo de algo llamado agentes de «software». En pocas palabras, los agentes son programas de computación que «saben» bastante acerca de sus propietarios como para actuar en forma autónoma en lugar de ellos. Más importante, al actuar casi siempre por su cuenta, no tienen que molestarlo con los pequeños detalles de la tecnología que la mayor parte de las personas parece aborrecer.

Imagine toda su casa llena de cables con agentes inteligentes. Su rutina matinal sería más o menos así: Despierta a las 6:00 de la mañana con el sonido del despertador, que no es un zumbido estridente, sino un informe del tiempo, la principales noticias y quizás su canción favorita. Entra al baño donde la ducha ya está funcionando, ajustada a la temperatura que le agrada. Va al ropero donde ya está seleccionada su indumentaria, basada no solo en lo que planificó para el día, sino también de acuerdo con los últimos pronósticos del tiempo. En la cocina el café está servido, las tostadas saltan de la tostadora en el momento que entra en el comedor, y la televisión presenta un resumen de las noticias de la mañana. No es el mismo resumen de su vecino, sino uno preparado exclusivamente para usted según sus intereses específicos.

Cuando sale, el motor del auto ya está en marcha, y el tablero electrónico lo saluda y le indica su agenda para el día. Imagínese que su auto le diga: «Buenos días, no olvide recoger una llave adicional rumbo a la oficina. Juan llamó esta mañana para recordárselo, pero no quise que lo despertara, y puesto que no era urgente que conversara con usted, solo tomé el recado. A propósito, no hay suficiente combustible para hacer el camino de ida y vuelta, y puesto que las gasolineras están más llenas cuando viene de regreso, sería bueno que pasara a comprar gasolina en el camino al trabajo. No hay fila en las calles Cinco y Principal esta mañana. Le sugiero ir por allá».

COMPUTADORA, HAZME UNAS TOSTADAS

Un avance muy importante en el mundo computacional va a estar en el campo de la tecnología del reconocimiento de voces. Se ha trabajado bastante en este campo, sobre todo debido a las enormes posibilidades comerciales para cuando se haya logrado el éxito.

Piense en ello. La computadora puede responder las voces de mando que le dé en perfecto castellano. No tendrá que ser un operador de computadoras para usar la suya en el futuro. No necesitará saber nada de computadoras.

Ya ahora es posible ver televisión en su computadora. Es posible programar su videograbador para que grabe su programa favorito mientras está en el trabajo. Pero solo una pequeña minoría de personas hace esto. ¿Por qué? «No vale la pena» es la respuesta más común. ¡Pero qué diferente va a ser la vida si todo lo que tiene que hacer es decirle a su equipo de televisión: «Grábame *Esta semana en las profecías bíblicas* el jueves por la noche»! Podría preguntarle al televisor: «¿Cuál es el vuelo más temprano que puedo tomar mañana por la mañana?» En cuanto crucemos la barrera de la voz de mando en el mundo de la computación, la computadora va a llenar la nación más de lo que el teléfono o la televisión jamás han soñado.

¿Parlez vous francais? No, pero mi computadora sí

Otro desarrollo fundamental va a llegar de la mano con la tecnología del reconocimiento de voces. Una vez que las computadoras sean capaces de reconocer nuestras voces, rápidamente se les enseñará a hacer algo más: traducciones instantáneas.

Podrá hablarle a su computadora en castellano y su mensaje se recibirá en hebreo en Jerusalén. Esta capacidad realmente unirá al mundo al permitir que cualquier persona, en cualquier lugar, se comunique con cualquiera otra en cualquier otro lugar, en el momento que quiera. Se habrá revertido la división de lenguas humanas que Dios hizo en Babel y el mundo se habrá unido, al menos en lenguaje.

El tiempo vuela como flecha.
La fruta vuela como una banana.

Ejemplo de por qué es difícil lograr que las computadoras comprendan el lenguaje humano.

Ahora que tenemos alguna idea de cómo se usa y se desarrolla la IA en la actualidad, dirijamos nuestra atención hacia el futuro. No al futuro distante de la ciencia ficción, sino al futuro inmediato, aquí en nuestra generación de rápidos cambios y de elevadas expectativas.

Sr. Data, ¿Dónde se encuentra?

Aunque esto parezca fabuloso, obviamente hay algo que falta de la tradicional visión estadounidense del futuro. Aun estamos hablando de computadoras, y una computadora, que está sobre su escritorio o montada en el tablero de su auto que en nada se parece a un ser humano.

Imagine lo que será tomar los mejores aspectos de la tecnología de la IA de que hemos hablado hasta aquí, para envolverla con un maravilloso nuevo paquete. Uno de los paquetes que más se ha hablado es el robot, y para la mayoría de las personas, mientras más se parezca el robot a un ser humano, mejor. Durante años hemos visto robots en películas de ciencia ficción y en programas de televisión. A través de los últimos treinta años, más o menos, los hemos visto evolucionar de ser máquinas rústicas de sonido mecánico con un montón de luces parpadeantes, a robots que difícilmente pueden distinguirse de una persona real.

En la actualidad, aunque los robots en los laboratorios a través del país apenas están aprendiendo a caminar, los glamorosos androides y formas de vida artificial de las películas y de la televisión han preparado al mundo para creer que seres mecánicos mucho más sofisticados no solamente son posibles, sino también inevitables. Todas las expectativas que Hollywood ha alimentado son considerables. Quizás el más famoso robot sea C-3PO de la película *La guerra de las galaxias.* Este amoroso personaje parecía una persona con un traje armadura dorado y no solo podía hacer conducir la nave espacial, además podía tener emociones, siendo la más notable el temor.

Después, llegó a las pantallas de televisión de todo el mundo *Viaje a las estrellas: La nueva generación* y con ella apareció Sr. Data, la última forma de vida artificial. Representado por un actor humano con mucho maquillaje para darle una complexión pálida, Sr. Data representa lo que la mayoría de la gente considera la cumbre tanto de la IA como de la investigación robótica. Ser completamente autónomo, era el tercero al mando a bordo del *Enterprise*, y cuando le instalaron su «circuito integrado emocional», llegó a ser básicamente indistinguible de un verdadero ser humano. Era mucho más fuerte e inteligente, y puesto que estaba hecho de componentes artificiales completamente sustituibles, era también inmortal.

Sr. Data podrá ser pura ciencia ficción en la actualidad, pero muchas cosas que ahora tomamos por concedidas eran pura ciencia ficción no hace muchos años. Con la velocidad del cambio y la aceleración del conocimiento en esta generación, ya nada parece estar fuera de nuestro alcance.

Aunque en la actualidad hay más de sesenta y ocho mil robots en Estados Unidos (¡y más de cuatrocientos mil en Japón!), trabajan en la manufactura, sobre todo en las fábricas de automóviles, y los robots tienen muy poco parecido con las variedades de Hollywood con las que estamos más familiarizados. Estos robots hacen poco más que soldar a puntos, hacer girar tuercas y otras tareas rutinarias. Interesante es destacar que la palabra *robot* viene de la palabra checa *robota*, que significa «trabajo forzado». Pero a pesar de estos comienzos un tanto humildes (en comparación con los robots de Hollywood), el futuro de la robótica promete ser fascinante, y es increíble el potencial de combinar los últimos descubrimientos en inteligencia artificial con los robots más sofisticados.

En la actualidad, la mayor parte del trabajo en el campo de la inteligencia artificial se puede dividir en dos métodos generales. El primero es crear una computadora «cerebro» llena con todo el conocimiento del mundo que se ha acumulado. La esperanza en esta investigación es que con el tiempo la computadora tendrá suficiente conocimiento y metodología para comenzar a buscar información y a aprender por sí misma.

El segundo método es más humano en naturaleza, con una computadora que comienza con muy poco a modo de conocimiento básico, pero «aprende» cada día por la interacción con las personas y con otros aspectos del ambiente.

Sea cual fuere el método del que hable, todavía hay mucho que trabajar antes que podamos ver algo semejante al Sr Datos o a C-3PO caminando por las calles o conduciendo un ómnibus. Sin embargo, nuevamente tenemos que enfatizar que en el mundo del engaño (elemento clave en el escenario del último tiempo) lo que es plausible es tan importante como lo que es posible. Y francamente, si los científicos sostuvieran mañana una conferencia de prensa para anunciar el invento de un robot pensante, que habla y de aspecto humano, todo el mundo se lo tragaría con anzuelo, sedal y plomo. El aspecto humano va a ser otro campo de investigación en los días venideros. Aun cuando pudiéramos hacer robots que actuaran más o menos como personas, ¿cómo podríamos hacer que lleguen a ser semejantes a nosotros? ¡No hay problema!

El mundo de la animatrónica

La animatrónica es un campo relativamente nuevo, pero en él ya ha habido logros que eran absolutamente inconcebibles. La animatrónica se refiere a la utilización de componentes mecánicos y eléctricos para simular una criatura viva, real o imaginaria. Obviamente el uso más común de dicha tecnología surge de Hollywood. En la película *Operación Dumbo Drop*, se creó un elefante muy real para algunas de las proezas de la película. El elefante se movía como un animal de verdad y los aficionados al cine no tenían idea que habían utilizado un sustituto mecánico. En la película *Tiburón*, era un tiburón mecánico; en *Santa Claus*, era un reno mecánico; y en *Hocus Pocus*, era un sustituto mecánico para la actriz Sarah Jessica Parker.

Sin embargo, mientras Hollywood es una cosa, el mundo real es otra. ¿Será posible en el futuro crear seres humanos artificiales que no se puedan distinguir de los verdaderos? No cabe duda. La EndoCare, centro de cirugía con base en Los Ángeles, comisionó a Rick Lazzarini, que es uno de los principales artistas en animatrónica, para crear réplicas de órganos humanos a fin de que los cirujanos practiquen antes de usar el bisturí en verdaderos seres humanos. Estas no son solo aproximaciones. Los modelos deben ser exactos, no solamente en apariencia, sino también en textura. Cada órgano tiene una sensación diferente ante el escalpelo, las suturas y las tijeras, y los modelos deben simular con exactitud esas sensaciones. El Dr. Edward Phillips, director de cirugía endoscópica en el Centro Médico Cedars-Sinai, dijo: «Cuando pone su endoscopio en el interior del modelo, se comporta como el verdadero cuerpo. En forma absoluta reemplaza la necesidad de usar animales (para la práctica de la cirugía)».

¡Está vivo! ¡Está vivo!

Para los creyentes en la creación de Dios no debe ser una sorpresa saber que la computadora más grande que se haya creado es la que queda entre nuestras dos orejas. ¿Sabía que en los laboratorios, en un esfuerzo por inventar computadoras que harán que las más grandes computadoras parezcan calculadoras de bolsillo, están usando los componentes básicos fundamentales usados por nuestro Creador? Es cierto. Los científicos ahora están trabajando con material biológico, el DNA, tratando de aplicar sus complejos principios al mundo de las computadoras. Si tienen éxito, veremos increíbles avances en el campo de la computación.

Aunque las computadoras DNA están lejos de considerarse «vida», hay pocas dudas de que se dará rienda suelta a la imaginación del mundo con cualquier avance en este campo, y también se dará rienda suelta a nuestra creencia acerca de lo que es posible en función de crear «computadores tan inteligentes como los humanos».

Nuestra imagen del futuro

En nuestro análisis de la realidad virtual, señalamos cómo una imagen virtual de la bestia podría ser el camino más probable para que halle su cumplimiento la profecía del apóstol Juan.

Sin embargo, la profecía de la imagen de la bestia también podría cumplirse a través de estos notables inventos en el mundo de la inteligencia artificial y la robótica. Después de todo, la profecía habla de una imagen que «vive» y «habla». Y como ya dijimos, el teórico de la computación, Tom Ray, advierte que con la tecnología existente ya «necesitamos prepararnos para una inteligencia que es muy diferente de la nuestra». Entonces, también podría considerarse una imagen artificialmente inteligente cuando hablamos de la imagen de la bestia.

Sin embargo, más allá de la profecía específica, hay consecuencias más amplias. ¿Qué pasa si *al parecer* podemos crear vida inteligente? Una vez más, con respecto a la influencia en la sociedad el gran tema no es si en realidad se creó; se trata de si la gente admite que se creó.

Como los ovnis y la realidad virtual, la inteligencia artificial tiene el poder de lograr que la humanidad acepte un punto de vista completamente diferente de la realidad, de la vida, de nuestros orígenes y de nuestro futuro. ¿No es asombroso que una vez más todo esto ocurra en la misma generación que vio a Israel regresar a su tierra, la misma generación de la cual la Biblia dice que la humanidad será llevada a una confusión y engaño global?

¡Listos!

CAPÍTULO 8

La nueva interdependencia electrónica recrea el mundo a la imagen de una aldea global.

Marshall McLuhan

¡EN PRIMERA FILA!

Imagine que el Señor hubiera venido en 1809. Eso significaría que todas las profecías que rodean su venida tendrían que haberse cumplido antes de esa fecha. Trate de imaginarse que usted, como creyente, vivía en Niagara Falls tres años antes, en 1806.

Las profecías habrían sido diferentes porque el Señor habría profetizado que el mundo sería como en ese tiempo y no como en el nuestro. Sin embargo, habría estado viviendo en un tiempo cuando las más grandes profecías del último tiempo se estarían cumpliendo, ¿verdad?

Entonces, ¿cómo lo sabría? ¿Cómo podría seguir el curso de los diversos cumplimientos proféticos para determinar que realmente vivía en los últimos tiempos? Con suerte recibiría noticias de Europa al cabo de un mes o más. Quizás su vecino podría recibir una carta de un miembro de la familia con algunas noticias de Asia que podrían contarle de cuando fue a cambiar quesos por pieles de castores.

¿HA OÍDO HABLAR DE TONYA HARDING?

El punto es que en la actualidad vivimos en la primera generación en que es posible que un cristiano siga los acontecimientos mundiales y determine que las profecías se están cumpliendo. Todo lo que tenemos que hacer es sentarnos con una Biblia, poner CNN y comenzar a ver todo lo que sucede allí delante de nuestros propios ojos. Ni siquiera tenemos que esperar el diario de mañana. Lo podemos ver en vivo.

Juntos, como una comunidad global, vimos caer el muro de Berlín, en vivo. Vimos a Tonya Harding competir en patinaje y ganar la medalla de oro a Nancy Kerrigan, en vivo. Y hasta vimos una guerra, la Guerra del Golfo, al instante.

UNA PROFECÍA ESCONDIDA

Jesús dio a sus discípulos una lista de docenas de profecías cuando le preguntaron cuál sería la señal de su Segunda Venida. Entonces respondió algo como profecía que se ha descuidado por completo y que consideramos de importancia fundamental. Dijo: «Cuando estas cosas comiencen a suceder, erguíos y levantad vuestra cabeza, porque vuestra redención está cerca» (Lucas 21.28).

Si no fuera por Philo T. Farnsworth, inventor de la televisión, todavía estaríamos comiendo cenas radiales congeladas.

Johnny Carson

Esta es la primera generación que puede ver que estas cosas comienzan a suceder. Vivimos en Niagara Falls, Canadá. Ni nosotros ni nuestras esposas hemos visto un terremoto, por ejemplo. No obstante, Jesús dice que una de las cosas que había que observar como señal de la proximidad de su venida era un aumento en los terremotos.

Sin embargo, en la actualidad, no tenemos que sentir los terremotos para saber que van en aumento. Vemos que suceden, o vemos sus resultados en las noticias de cada noche. Recordamos haber visto el terremoto de San Francisco a finales de la década del ochenta. Aunque estábamos a miles de kilómetros de distancia, nos sentimos como si fuéramos parte de ello cuando, junto con todo el continente, vimos su transmisión en vivo.

Lo mismo ocurre con los violentos ataques, guerras o batallas por el Monte del Templo en Jerusalén. Podemos verlo todo, mientras sucede, desde la comodidad de nuestras salas de estar. ¡Qué época tan excepcional e impresionante la que vivimos! ¡Qué tiempo para el cumplimiento profético cuando la gente pueda verlo con sus propios ojos!

A veces es fácil dar por sentadas ciertas cosas. Por ejemplo, ninguno tenemos que viajar a la oficina a caballo ni en una calesa. Usamos el auto sin pensarlo dos veces. O sea, hasta que el auto queda en el taller y nuestra vida se convierte en un completo caos. Eso es como gran parte de nuestro mundo actual, pero si pudiéramos retroceder y tratáramos de mirar este mundo con los ojos de alguien que vivió en el siglo diecinueve, veríamos los medios masivos de comunicación como una parte integral de la profecía bíblica de una manera nunca antes vista.

Los medios masivos pueden ser aun más significativos porque casi todo nuestro conocimiento acerca de las otras esferas llega a través de este sistema de comunicación mundial.

Hace un momento hablábamos del hecho de que usted no podría haber visto la miríada de cumplimientos proféticos en otra generación debido a que no existía una forma fidedigna de recibir la información. Pero cuando estudia con cuidado la profecía bíblica, queda en claro que los medios actuales no solo son necesarios para informar los cumplimientos proféticos, sino que son además necesarios para cumplir en sí mismos las profecías acerca de ellos.

El anticristo en las noticias

Consideremos, por ejemplo, la aparición del anticristo en el escenario mundial en los últimos días. En el libro de Apocalipsis, el apóstol Juan describe en detalles su venida como dictador. En ese libro tenemos una visión acerca de la batalla titánica entre Dios y Satanás, pero además contamos con una cronología muy práctica del tiempo comprimido conocido como la gran tribulación.

Juan nos dice que en tres años y medio el anticristo establece un gobierno y una economía mundial integrada. Hace que todas las religiones del mundo divididas desde siempre, se conviertan en una sola religión mundial unida. Establece un ejército global poderoso y eficaz. Detiene el conflicto en el Medio Oriente y establece un tratado de siete años que no solo abarca el Medio Oriente, sino todo el mundo. Manda a reconstruir el templo en Jerusalén y crea un sistema de identificación electrónica que abarca virtualmente a todo hombre, mujer y niño del planeta. Y, por sobre todo, logra que todo el mundo lo adore como a un dios.

Ahora bien, aun para el anticristo, maestro del mal y del engaño, esta es una lista bastante larga y complicada. Si piensa al respecto, en otras generaciones no había forma para que cada persona en todo el planeta pudiera saber quién era ese tipo y menos le importaría adorarlo como dios. Pero en la actualidad, pregúntele a Tonya Harding, María Clark o Norman Schwarzkopf con cuánta rapidez su nombre puede llegar a ser una palabra familiar.

Café instantáneo, desayuno instantáneo, revolución instantánea

En la actualidad, mediante los medios de comunicación, una persona, una idea o ambas pueden llegar al centro de la escena mundial en unos minutos. Aun una cosa como un Ford Bronco blanco se puede hacer de famoso de repente y sus ventas pueden dar un salto hasta el techo.

¿Cuán poderoso es el papel que tienen los medios para poner a personas e ideas en el primer plano de la conciencia mundial? Bien, considere lo siguiente. Según Ted Turner, él y su red CNN derribaron el muro de Berlín. Ahora bien, Ted no es el tipo más modesto, pero no debiéramos despreciar la importancia de su declaración.

Alimentada por los medios masivos, se dice que la revolución de 1989 tardó diez años en llevar fruto en Polonia, diez meses en saltar la frontera húngara, diez semanas en germinar en Alemania Oriental, diez días en extenderse como un incendio por Checoslovaquia y diez horas en purgar a un líder totalitario en Rumania.

Cuando se le preguntó por el papel de los medios occidentales en la liberación de Polonia, Lech Walesa sonrió y preguntó: «¿Habría tierra y mundo sin un sol?» De la misma manera, muchos creen que a Israel lo están obligando a hacer concesiones a los palestinos en la actualidad porque los medios masivos han decidido enfocar la atención mundial en las tácticas de tirar piedras de la Intifada. Hace poco entrevistamos a un alto oficial israelita, Pinhaus Dror. Relata cómo los medios no solamente pueden centrar la atención sino manipular las imágenes que ve del mundo que le rodea:

> Le voy a dar un ejemplo. No quiero echar pestes de ningún equipo de televisión de hoy, pero años atrás una famosa cadena televisiva de Estados Unidos envió un equipo a Cisjordania y sobornaron, y todo está documentado, a un joven árabe para que le prendiera fuego a un neumático. Ahora le diría que si pusiera un teleobjetivo de televisión en medio del humo, podría creer que toda la ciudad está en llamas cuando se trata de un simple neumático. De modo que el hecho de verlo en televisión no significa que sea cierto. Solamente lo está viendo en televisión y lo que ve es el cuadro que preprararon el productor y el camarógrafo que pueden hacer lo que quieren. Y usted quizás crea que es cierto. No es así. Esta es la verdad que quieren que usted vea.

¿ESTÁ CNN ENCARGADA DE LA POLÍTICA EXTERIOR?

¿Recuerdan la afirmación de Ted Turner de que él y su red CNN derribaron el muro de Berlín? Como dijimos, es una típica declaración a lo Ted Turner. Pero uno no puede negar que quien define los límites mentales de hoy establece en gran medida los límites políticos, militares y económicos de mañana.

Entonces, ¿hay trece individuos en una sala llena de humo determinando cada trozo de noticia que puedan llevarnos a hacer exactamente lo que ellos quieren? No.

¿Se presentan la noticias cada día en forma específica para influir de manera particular en nuestras creencias y conductas? ¡Por supuesto que sí! Cada día los agentes de prensa colocan las noticias desde un ángulo ventajoso para sus clientes y los políticos cambian su imagen por una que nos resulte más atractiva.

Además, nadie puede negar que hay una clara tendencia liberal en los medios actuales. Nadie que tenga sesos en la cabeza puede dejar de ver cómo los medios afectan también las decisiones que hacemos en el frente político.

Por ejemplo, a los hacedores de la política estadounidense les preocupa en la actualidad lo que llaman la curva CNN. Es decir, cuando la CNN inunda las ondas con un reportaje noticioso en particular, los políticos no tienen virtualmente otra alternativa sino rectificar su atención hacia la crisis que CNN les ha elegido. Muchos se preocupan de que esto ha hecho de CNN el sexto voto en el Consejo de Seguridad de las Naciones Unidas.

Si la CNN en verdad se ha convertido en una fuerza impulsora en la determinación de la política exterior, lleva consigo el equipaje de la televisión: un breve período de atención que le puede llevar alrededor del mundo en treinta minutos. Como testificó la secretaria de estado Madeleine Albright ante el Comité de Relaciones Exteriores:

> La capacidad de la televisión de llevar imágenes gráficas de dolor e indignación a nuestra sala de estar ha levantado presión tanto para el compromiso inmediato en zonas de crisis internacional como para desentenderse cuando los acontecimientos ya no marchan según el plan.

Entonces, caben pocas dudas de que además de influir en la sociedad en cuanto a la importancia de tener la colección Kmart de Jaclyn Smith, o de influir en nuestras opiniones sobre el aborto, la asistencia social o la política de inmigración, los medios realmente establecen cuáles son los temas de la política exterior del día.

La cosa es la siguiente: en la actualidad, los medios masivos pueden instigar cambios rápidos y espectaculares como ninguna otra cosa en la historia. Los medios pueden elevar a una persona al poder con mucha rapidez. Pero sugerir que hay una conspiración montada para manipular cada fragmento de noticia e información en nuestro mundo sería llevar las cosas demasiado lejos. Sin embargo, eso no significa que no llegue el día cuando los medios jueguen ese papel. Lea una vez más los pasajes de Apocalipsis donde el apóstol Juan describe el día cuando todo el mundo será uno y se «maravillará» en pos de la bestia e incluso la adorará. Será el día cuando el poder de este falso cristo y su perfecta explotación de las imágenes de los medios hará que en verdad y finalmente el mundo tenga «una mente».

Hoy, el mundo puede quejarse de falta de liderazgo. Pero imagine el mañana cuando los líderes más tramposos y poderosos que este mundo haya conocido entren a escena con el poder de los medios globales de comunicación a su disposición.

¡ENTÉRESE!... ES UNO DE LOS QUE SE QUEDARON

Cuando leemos los escritos de hombres y mujeres de Dios que hace algunos años trataban de entender las profecías de la Biblia, podemos darnos cuenta que una de las cosas clave que no podían predecir era la televisión. Esa pieza del rompecabezas siguió siendo un misterio hasta nuestros días. Sin embargo, es una pieza tan central y fundamental para armar el rompecabezas, que no se exagera al decir que esta «ventana al mundo» posiblemente sea la fuerza más poderosa e influyente del planeta.

Mientras escribíamos el libreto para nuestro video *Los que se quedaron*, enfrentamos un verdadero dilema. El video se inicia con una representación al estilo de Hollywood del mundo en los momentos siguientes al Arrebatamiento. Pero, ¿cómo puede uno siquiera comenzar a imaginarse lo que sucedería en un mundo donde millones de personas acaban de desaparecer?

Entonces nos vino el pensamiento. Comprendimos exactamente cómo iniciar la acción porque sabíamos lo que la gente haría en el momento posterior al Arrebatamiento. Entonces el video se inicia con un hombre que entra corriendo a su casa y enciende el televisor. En nuestra mente no cabe la duda de que en el mundo actual eso es lo que todos harían para conseguir una respuesta.

¿Qué tal esta entrada en escena?

Piense en esa escena. Millones de hombres, mujeres y niños habrán desaparecido de la faz de la tierra. La gente estará en un estado de pánico y confusión. Muchos, si no la mayoría, estarán al borde de la locura.

La gente se dará cuenta claramente de que ha ocurrido algo de otro mundo. Creemos que muy pocos se sentirán desilusionados por haberse quedado. Más bien, la mayoría agradecerá su buena suerte porque se quedaron. No creerán ni por un segundo que fue un acontecimiento en que Dios se llevó a los cielos para estar con Él a los creyentes. En realidad, creerán cualquier otra cosa; lo más probable es que piensen que extraterrestres atacaron el mundo.

La Biblia nos dice que en este momento mundial, poderosamente cargado, entrará en escena el líder más poderoso y engañador que el mundo haya conocido. ¡Qué momento para uno que llega «con gran poder y señales y prodigios mentirosos»! (2 Tesalonicenses 2.9). ¡Qué escenario para el engaño! Será tan poderoso que Jesús advirtió que si fuera posible, aun engañaría a los mismos elegidos.

Por medio de los vínculos de la televisión mundial actuales, esta entrada en escena logrará su pleno e inalterado poder. No será mucho afirmar que el nombre de este gran líder mundial estará en los labios de todos los ciudadanos de mundo antes de veinticuatro horas después del Arrebatamiento.

Su guía de televisión de Apocalipsis 13

El capítulo 13 de Apocalipsis es uno de los capítulos proféticos más notables de la Biblia. En sus breves dieciocho versículos aprendemos de la venidera marca de la bestia, de la imagen de la bestia, de un ejército mundial y de algunos otros acontecimientos proféticos clave.

Si lo prefiere, dedique unos segundos con nosotros para imaginar lo que el mundo será en el momento posterior al Arrebatamiento. Imagine el pánico. Imagine la búsqueda de respuestas para este acontecimiento inconcebible. Imagine los noticieros de televisión mientras los periodistas salen disparados para tratar de obtener informaciones de todo el mundo. Piense en las escenas de mortandad y destrucción. Ahora imagine que este gran falso cristo aparece en esos mismos televisores con una poderosa presencia, una explicación de lo ocurrido y la capacidad de hacer milagros para demostrar que es lo que dice ser.

A la luz de esto, no puede negar que las palabras de Juan, escritas hace dos mil años, parecen encajar a la perfección en esta era global de los medios masivos. Nos dice que este anticristo o la bestia, como también se le conoce, tendrá «una boca que hablaba grandes cosas» y que se convertirá en el líder de «toda tribu, pueblo, lengua y nación». Que la bestia fascinará a todo el mundo. Además «la adorarán todos los moradores de la tierra» (vv. 5,7,8).

Una vez más, ¿cómo podría el mundo entero haber siquiera oído de este sujeto y dejarle que tome las riendas del mundo sin el poder de los sistemas globales de televisión actuales?

Testigos de Dios de primera plana

Ahora bien, si eso no le ayuda a ver los medios masivos de hoy en el libro de Apocalipsis, intente este en cuanto al tamaño.

El apóstol Juan además nos dice que cuando este falso líder haya logrado el control del mundo, Dios va a enviar dos hombres que serán sus testigos ante el mundo. Estos dos testigos advertirán al mundo contra el engaño que en forma tan abierta abraza, y llamarán al mundo al arrepentimiento. Sin embargo, la gente, tan devota del anticristo, odiará a los dos testigos. Cuando los testigos de Dios hayan entregado su mensaje al mundo, el apóstol Juan ve que «la bestia que sube del abismo hará guerra contra ellos, y los vencerá y los matará». Pero ahora descubra lo que Juan vio a continuación:

> Y sus cadáveres estarán en la plaza de la grande ciudad que en sentido espiritual se llama Sodoma y Egipto, donde también nuestro Señor fue crucificado. Y los de los pueblos, tribus, lenguas y naciones verán sus cadáveres por tres días y medio,

> y no permitirán que sean sepultados. Y los moradores de la tierra se regocijarán sobre ellos y se alegrarán, y se enviarán regalos unos a otros; porque estos dos profetas habían atormentado a los moradores de la tierra. (Apocalipsis 11.7-10)

Lo que está claro aquí es que la gente de todo el mundo lo verá. Y lo verán durante tres días y medio. Es obvio que no todos en el planeta viajarán a Jerusalén. Pero hoy en día la gente no necesita hacerlo. ¡Solo tienen que viajar a la sala familiar! Y si tienen el televisor encendido, y sabemos que lo tendrán, podrán ver algo más:

> Pero después de tres días y medio entró en ellos el espíritu de vida enviado por Dios, y se levantaron sobre sus pies, y cayó gran temor sobre los que los vieron. Y oyeron una gran voz del cielo, que les decía: Subid acá. Y subieron al cielo en una nube; y sus enemigos los vieron. (Apocalipsis 11.11-12)

TODO OJO LE VERÁ

Se ha sugerido que a través de la televisión el mundo verá el regreso de Jesús a la tierra al final de la tribulación: «He aquí que viene con las nubes, y todo ojo le verá, y los que le traspasaron; y todos los linajes de la tierra harán lamentación por Él» (Apocalipsis 1.7).

Sin embargo, este es un caso en que no creemos que los medios tendrán parte alguna. La televisión es un medio de engaño, ilusión y falsificación. Creemos que cada persona sobre la tierra verá directamente al Señor. No habrá oportunidad para que la gente piense que esta es una forma de ilusión ni de engaño.

Desde luego, el mundo es redondo, ¿cómo podrá la gente del otro lado del mundo ver cuando Jesús regrese a Jerusalén? Puesto que Dios es Dios, pensamos que Él puede arreglárselas.

CAPÍTULO 9

Quienquiera que controle los medios, las imágenes, controlará la cultura.

Allen Ginsberg

¡NO ES COMO PIENSA QUE ES!

Son las tres y treinta de una calurosa tarde de verano. El ómnibus resopla por las calles de la ciudad recogiendo pasajeros que regresan a sus casas después de otro día de rutina.

En una parada, cerca del final de la línea, un hombre se sube. Parece cansado y distante cuando sube con su mochila al hombro. Se abre paso por entre los demás pasajeros que también llegaron demasiado tarde para lograr un asiento. Murmura algunas disculpas y finalmente halla su lugar.

Mientras el ómnibus se abre paso entre el tránsito, el joven tira una cuerda de su mochila...

> Tel Aviv (AP): En una hora pico, un terrorista suicida en Tel Aviv voló un ómnibus donde murieron él y otros sesenta y dos pasajeros. Lo hizo en venganza por las últimas iniciativas israelitas en el Monte del Templo, en el corazón de Jerusalén.

¿QUÉ CLASE DE TONTO...?

Cuando oímos historias como esta, a muchos nos sorprende cómo un hombre puede estar persuadido a hacer algo así. Imagínese:

tirar una cuerda que sabe que lo va a volar en un millón de pedazos. Sin embargo, ocurre. ¿Cuántas veces hemos oído de hombres que dan su vida por algo en lo que creen firmemente? Puede que sea por una causa al parecer noble como la defensa del país o salvar a un niño. O puede parecer nada más que puro terrorismo. Dependiendo de su particular punto de referencia, el mismo hecho puede considerarse heroico o cobarde.

Pero el asunto es que la gente está dispuesta a ejecutar acciones muy fuertes, aun hasta la muerte, por algo en que creen. Los creadores de creencias dentro de una sociedad tienen un poder enorme.

Los hombres fueron a Vietnam, por ejemplo, porque creían defender la libertad. Estaban dispuestos a morir por ella. Cuando se aclaró la verdad respecto de esa guerra, muchos estadounidenses sintieron tanta ira que dejó en la nación una cicatriz que perdura hasta hoy.

La historia ha demostrado repetidas veces el poder de la creencia y de las imágenes rectoras. Si el jefe de una tribu logra convencer a su pueblo que otra tribu es mala, puede hacer que lo sigan para hacerle la guerra. Aun en nuestro mundo moderno, Ronald Reagan sabía que llamar «imperio del mal» a la Unión Soviética le serviría para conseguir apoyo para su presupuesto de defensa. Asimismo parece que serbios y musulmanes en Bosnia tienen creencias inmutables que los han comprometido con la destrucción mutua, aun cuando tengan que desaparecer en el proceso.

DE PADRE A HIJO, A HIJO, A HIJO

Todos sabemos que las personas difieren en creencias y valores según su experiencia personal. Pero culturas completas también difieren grandemente debido a su historia particular y experiencia colectiva.

Los nativos estadounidenses transmitieron sus tradiciones de una generación a otra mediante el relato de su historia de las grandes batallas, de héroes imponentes y de la ayuda de los espíritus. Los judíos transmitieron sus tradiciones de una generación a la siguiente, aun los que no creen, mediante la observancia de días sagrados y ceremonias.

Esta cultura, o contexto, por su parte, tiene un impacto amplio sobre las creencias y cosmovisión de los individuos dentro de determinado grupo étnico. Por eso es muy difícil encontrar un palestino pro israelita, un francocanadiense pro británico o un estadounidense pro comunista. Por eso es justo decir que alguien que tenga el control de las historias y tradiciones que unen una cultura podría tener una influencia enorme sobre los individuos de esa cultura.

LA CULTURA DE «LA CAJA TONTA»

¿De dónde viene nuestra cultura en el día de hoy? Pensemos un momento y la respuesta resultará obvia. La televisión llena ochenta por ciento del tiempo de ocio de la mayoría de las familias estadounidenses. Cuando se pregunta a la gente quién es su modelo, a quién les gustaría parecerse, casi siempre señalan a alguien de la televisión. No hay que asombrarse. Es difícil ser tan inteligente en la vida real como el tipo de la televisión que tiene un equipo de dieciséis escritores que planifican cada palabra y cada acción. Imagínese lo ingenioso que usted sería si tuviera a las dieciséis personas más divertidas de Estados Unidos que le dieran por adelantado cada línea de lo que debe decir en cada situación.

¿Cómo podría tener tanta sangre fría como Bruce Willis o Arnold Schwarzenegger, que pueden saltar desde un edificio de diez pisos, soltar unas palabrotas por un segundo, agarrar un arma y seguir corriendo tras un tipo malo?

Esto es precisamente lo que queremos decir. Los héroes de los medios de comunicación de hoy son los héroes de nuestra cultura. Son nuestros ejemplos y la base de nuestra mitología. Sus aventuras constituyen aquello que todos tenemos en común. Podemos viajar de nuestro hogar en Canadá a Dallas, Texas, y tener de inmediato una conversación con alguien acerca de la última película de Harrison Ford. Es nuestro punto de contacto.

Actualmente formamos nuestras definiciones de etnicidad o de raza, de «nosotros» y «ellos», a partir de las imágenes de los medios. Por ejemplo, no hemos tenido la ocasión de conocer personalmente a muchos hispanos en nuestra vida. Así, virtualmente todo lo que sabemos de ellos viene de la televisión. Piense en ese poder de identificar y caracterizar diversos grupos. Y ahora piense cómo se ha usado ese poder en los medios masivos para caracterizar a los cristianos evangélicos.

USTED ES QUIEN NOSOTROS DECIMOS QUE ES

Solía pensar que era pobre. Entonces me dijeron que no era pobre. Era un necesitado. Luego me dijeron que era contraproducente pensar de mí mismo como un necesitado. Era un desvalido. (Ah, no era un desvalido, sino un desamparado.) Luego me dijeron que desamparado se había usado demasiado. Estaba en desventaja. Todavía estoy sin un centavo. Pero tengo un gran vocabulario.

Jules Feiffer (1965)

No exageramos al decir que la identidad de la mayoría de los estadounidenses se forja ahora a partir de los ejemplos que se encuentran en los medios masivos. La televisión y la industria del cine nos dicen lo que es ser hombre o mujer, bueno o malo, triunfador o fracasado, poderoso o incapaz. Los medios definen por nosotros nuestra cosmovisión y lo que consideramos importante y lo que es tonto o peligroso. Las historias que nos entregan los medios, como hemos dicho, nos suministran los símbolos y mitos comunes sobre los que se forja nuestra cultura. Como expresó recientemente el senador Bill Bradley:

> En una época en que padres, abrumados por sus ocupaciones dedican menos tiempo a sus hijos, han cedido a la televisión cada vez más el importante papel de narrar historias que es esencial en la formación de la educación moral que sustenta la sociedad civil.

De igual manera, David Marc, escritor y observador de la cultura popular, señala que la televisión crea «un conjunto de sueños que es, en gran medida, la cultura en que vivimos ... [Es] el más eficiente abastecedor de lenguaje, imágenes y relatos en la cultura estadounidense». George Gerbner, ex decano de la escuela de comunicaciones Annenberg de la Universidad de Pensilvania, añade: «La televisión brinda, quizás por primera vez desde la religión preindustrial, un fuerte vínculo cultural, un ritual compartido cada día de contenido altamente persuasivo e informativo».

En un medio altamente grato a nuestros sentidos, no podemos negar el poder de seducir a la gente para que acepte ciertos puntos de vista, actitudes, creencias y valores. Más aun, se hacen borrosas las líneas entre la fantasía y la realidad de modo que si Frasier Crane dice algo, tiene mucho peso porque millones de personas quieren ser como Frasier Crane. No se les ocurre que Kelsey Grammer, que hace de siquiatra en la popular serie de la NBC, es realmente un actor que tiene un equipo de escritores. Un comentarista se quejaba de la confusión de hace algunos años diciendo que el problema es que Ed Asner tiene la imagen de Lou Grant y la mente de Ed Asner. Sin embargo, hoy en día personas como Kelsey Grammer, Bill Cosby y Roseanne, con sus escritores y jefes de estudio, tienen una influencia sin paralelos en la formación de nuestra cultura.

¿Seinfeld vs. Roseanne o Clinton vs. Dole?

Imagine que la noche del debate presidencial hubiera además, en otra cadena, un debate entre Jerry Seinfeld y Roseanne sobre los problemas de la nación. ¿Cuál cree que tendría la mayor audiencia?

Si hubiera alguna duda en su mente, permítanos recordarle aquella exhibición de la Institución Smithsoniana en que *Viaje a las estrellas* la visitaron más que la exhibición del *Apolo 11*. El juicio de O.J. Simpson se reportó cinco mil veces más que la última elección presidencial.

Esto nos conduce al poder de la celebridad en nuestra cultura moderna. En las generaciones anteriores alguien alcanzaba la fama debido a una hazaña heroica, a su lucidez intelectual o su osadía política. Las voces principales de la cultura eran hombres y mujeres que mostraron gran fortaleza o sabiduría.

En la actualidad, ya no es así. Como señala el revelador libro *High Visibility* [Gran visibilidad], todo comenzó a cambiar en la época de oro de Hollywood:

> En este período el público dejó de insistir en que hubiera una correlación obvia entre logro y fama. Ya no era necesario que sus favoritos realizaran un acto heroico en su vida real, que hicieran un invento que beneficiara a la humanidad, ni que crearan una poderosa empresa comercial ... A partir de la aparición del sistema de estrellas de Hollywood, se hizo posible lograr la «celebridad» mediante hazañas en el mundo del espectáculo —deportes para espectadores, actuación— y casi de inmediato, de allí en adelante, fue posible ser una celebridad (nueva expresión que describe un nuevo fenómeno) sencillamente llegando a ser ... una celebridad. (Editado por Erving J. Rien, Philip Kotler, R. Stoller)

Hemos llegado al extremo de esta realidad. La celebridad en sí y de por sí, se ha convertido en la materia prima más apreciada que ofrece riquezas y poder inimaginables a sus poseedores. Ya nada tiene que ver con hazañas ni logros intelectuales. En gran medida, lo que se necesita es dinero.

La industria de la visibilidad, que ofrece de todo, desde la cirugía cosmética hasta el remozamiento, desde la planificación de una imagen hasta lecciones para hablar en público, se ha convertido en una de las más grandes industrias del mundo. Es también una de las más reservadas. Esto se debe a que por su naturaleza misma debe permanecer escondida, o se vería que sus clientes no son otra cosa que una imagen creada en vez de algo especial.

Al mismo tiempo, los creadores de celebridades no preguntan si Madonna, Dennis Rodman y Richard Gere deberían ser tan poderosos como son. Crean un producto para el mercado. Si esa celebridad luego usa la posición para emitir opiniones, es algo secundario para su negocio.

Recientemente fue interesante ver una edición del programa *Politically Incorrect* [Políticamente incorrecto] con Bill Maher como conductor. El tema en discusión era el papel que el gobierno debe tener en nuestra vida. Uno de los invitados era un candidato libertario a la presidencia. Otro era Jason Alexander, que es George en *Seinfeld*.

Ahora bien, podríamos entender que el candidato libertario tuviera algo que decir sobre el tema. Pero, ¿y George? ¿Por qué estaba allí? ¿Porque era estudioso del gobierno? No. Como se hizo prontamente evidente, no lo era. Cuando se le preguntó cuál sería la contribución más grande del gobierno, ¡sugirió que debía hacer una distribución gratuita de condones!

> ***Es difícil producir un documental de televisión que sea incisivo y a fondo cuando cada doce minutos nos interrumpen doce conejos danzarines que cantan acerca de un papel higiénico.***
>
> ***Rod Serling***

Es claro que George estaba allí porque quería promover su imagen de persona divertida. Se le pidió que participara porque es bueno en el papel de un cesante perdedor en un programa de televisión muy divertido.

No decimos que Jason Alexander no debe tener voz en política. Solamente señalamos el poder fenomenal de los medios de hoy para dar posiciones de influencia a personas debido a que son famosos... por cualquier razón, si es que hay alguna.

Sin embargo, las lecciones de la industria de celebridades de Hollywood se han difundido mucho más allá de los límites de Tinseltown. Ahora importantes personajes de la política, de los negocios y aun de la religión han aprendido con cuánta facilidad se pueden borrar en la mente de un mundo desprevenido las distinciones entre la realidad y la fantasía.

Mi bella alcaldesa

La mayoría de nosotros ha visto la maravillosa obra *Pigmalión* o su contrapartida en el cine, *Mi bella dama*. La famosa línea «¡Creo que lo logró!... ¡Por George, lo logró!», se refiere al hecho de que Henry Higgins, por apuesta, logró transformar a una muchacha grosera del barrio bajo de Londres, en una mujer que se amoldó a la alta sociedad. Las películas *De mendigo a millonario* con Eddie Murphy y Dan Aykroyd, y *Hombre al agua*, con Goldie Hawn y Kurt Russell son también películas de Hollywood que muestran cómo se pueden manufacturar esas transformaciones tan espectaculares.

Sin embargo, en el mundo de hoy las lecciones de Hollywood se han difundido más allá de la industria del espectáculo. Abogados, hombres de negocios y políticos reconocen la importancia de la administración de la visibilidad y la imagen. Mayor visibilidad significa mayor poder en un mundo donde la gente ha llegado a creer cada vez más que cualquier cosa informada por la televisión es importante, y lo que no se informa, es insignificante.

Esto suscita un tema que la mayoría comenzamos a discernir en la lucha política. De repente vemos candidatos preparados para apelar a nosotros en vez de líderes con ardientes convicciones. Una queja constante en relación al actual presidente es que sus posiciones se basan en la encuesta de ayer. Igualmente inquietante es el candidato que va con una imagen elaborada, pero tiene una agenda real mucho menos aceptable.

Un ejemplo de lo lejos que hemos llegado es el caso de la carrera por la alcaldía de Chicago en 1983. La alcaldesa, Jane Byrne, iba bien a la zaga en las encuestas:

> Aunque al final iba perdiendo en una lucha muy cerrada, la poseedora del cargo, Jane Byrne, se las arregló, mediante una transformación, lograr un avance espectacular en las encuestas. Al ver amenazada su reelección, Byrne contrató al consultor político de Nueva York y ex cineasta David Sawyer para que condujera su vacilante campaña. Sawyer cambió completamente la apariencia de Byrne: cabello, vestimenta, maquillaje, modo de caminar y hasta se las arregló para reformar sus desagradables modales personales. Creó comerciales para apoyar su nueva imagen y luego entregó esa imagen a los votantes

> ... La nueva Jane Byrne ahora tenía un hablar suave, llevaba su cabeza erguida, era receptiva y formal: *una mezcla difusa de realidad y ficción.* (*High Visibility*, énfasis añadido)

Lo asombroso de esta transformación es que se produjo ante los ojos de toda la gente. No se trataba de una desconocida que creaba una imagen que el pueblo deseaba. Era la alcaldesa. La ciudad lo sabía muy bien. Sin embargo, ella se sometió a una transformación importante, muy obvia, interesada, allí en medio de la campaña, y logró «un espectacular avance en las encuestas».

Ganó Kennedy. ¡No el sudor!

La política en la actualidad consiste en la fabricación de imágenes. Primero aprendió la lección Richard Nixon en 1960. Fue entonces cuando se tuvo el primer debate presidencial televisado. Nixon lo trató como si fuese solamente otra parada en la campaña. Kennedy dedicó tiempo para prepararse. Bajo las luces de las cámaras Nixon se veía cansado, taciturno y sudoroso. Kennedy se veía relajado y confiado. La carrera terminó esa noche.

Michael Dukakis se arruinó porque parecía un tonto cuando se puso el casco de un soldado y dio una vuelta en un tanque. Bob Dole fracasó en el minuto cuando Jay Leno y David Letterman decidieron divertirse cada noche en sus programas a costa de su edad. Ninguno de los temas tenía nada que ver con problemas políticos de importancia, pero en la actualidad, manda la imagen, no la política.

Como ha dicho Henry Kissinger, los políticos solían preguntarle qué hacer. Ahora le preguntan qué decir.

Debe ser verdad; ¡lo vi en la tele!

Las líneas entre la realidad y la fantasía se han hecho muy difusas a todo nivel en la actualidad. Por ejemplo. ¿Sabía que setenta por ciento de las noticias que lee en los diarios realmente los escribieron agentes de prensa y de relaciones públicas expertos que dan el efecto que sus clientes desean a sus informes?

Pero no son solo los representantes de empresas e intereses comerciales los que le ponen un efecto a las noticias. Siempre sacamos material de diversión en las transmisiones que en la temporada de elecciones dedican tanto tiempo a indicar la forma en que los diversos partidos tienen *especialistas en efectos* que le ponen el efecto que quieren a un tema, discurso o promesa de la campaña. Sin embargo, cuando nos sentamos y miramos en nuestro hogar, debiera resultarnos obvio (aunque no es así para muchos) que los verdaderos especialistas en efectos son los representantes mismos de los medios que nos dicen cómo deberíamos ver a estos especialistas en efectos políticos.

Las líneas entre el mundo real y el mundo manufacturado se han hecho tan difusas que llegamos al punto que en la campaña presidencial de Estados Unidos en 1992 el vicepresidente de Estados Unidos tuvo un debate con un personaje completamente ficticio llamado Murphy Brown. Fue asombroso ver que el poder del mundo ficticio tomaba el control en una situación en que los escritores podían sorprender en cada intervención al vicepresidente en la hora de mayor audiencia, para luego reírse de él por no reconocer que había estado discutiendo con un personaje ficticio.

Sin embargo, parece que los auditores de hoy ya no pueden distinguir la diferencia.

Una encuesta reciente del *Times Mirror* descubrió que cincuenta por ciento de los que ven programas realistas como *Cops* o *Rescate 911*, creían que estaban viendo los sucesos mismos, aun cuando al pie de la pantalla había una clara advertencia en el sentido de que se trataba de una representación.

¿Y qué les parece esta otra? A algunos propietarios de Malibú el departamento de transportes de California les otorgó una indemnización judicial de setenta y cinco millones de dólares. El comité de propietarios tenía que elegir un juez en que todos confiaran para distribuir el dinero. ¡Eligieron al juez Wapner del programa *People's Court* [Tribunal popular]!

Lo nuestro, ¡y tenemos algo!

Vivimos en un mundo extremadamente complejo. En todo campo, el conocimiento es literalmente explosivo. Es imposible controlarlo todo. ¿Cómo puede formarse una visión del mundo si no alcanza a captar noventa por ciento de lo que ocurre a su alrededor?

Es por eso que los medios ejercen una influencia tan poderosa sobre nuestra cultura. Suministran respuestas fáciles. Los misterios se resuelven en noventa minutos. Los malos son malos y los buenos son buenos. El noticiero lo puede hacer dar una vuelta al mundo en treinta minutos.

En la actualidad, nuestras historias, tradiciones, héroes y villanos todos vienen del cine y la televisión. Pero, como hemos visto, es un mundo creado, no es el mundo real. El que define ese mundo controla nuestra cultura. Sobre todo eso, ya no solo es la cultura estadounidense la que está en formación; son las creencias y valores de todo el mundo.

> ***Tomé un curso de lectura acelerada y leí La guerra y la paz en treinta minutos. Trata de Rusia.***
>
> ***Woody Allen***

En el capítulo 3 les contamos la experiencia que tuvimos la noche que volvíamos a casa después de ver una película de Indiana Jones, y vimos aquella luz que provenía del fondo del lago. Dado que acabábamos de ver *Cazadores del arca perdida*, pensamos que esta luz podía ser la llave para una aventura grande y misteriosa. Si hubiéramos visto *Tiburón*, ¿creen que hubiéramos estado dispuestos a entrar en el agua?

Como lo consideramos ya, reacciones diferentes se habrían producido por el contexto diferente que habría en nuestras mentes. Pero el tema más importante es que nuestras mentes se van cargando con un contexto mucho más grande, que lo abarca todo diariamente, por los actuales suministradores de cultura: los medios masivos.

Los medios nos dicen quiénes somos nosotros y quiénes son ellos; lo que debemos ser y lo que debemos creer; lo que debiéramos abrazar y lo que debiéramos detestar. Los medios pintan posibles futuros para el mundo. Los medios presentan a algunos de color de rosa y ridiculizan a otros, todo a la exclusiva discreción de los pintores. La gente no parece sospechar siquiera que en medio de todo ese fabuloso espectáculo e información, se les está transformando desde adentro hacia afuera. ¿Ocurre esto por casualidad? ¡De ningún modo! Hasta el liberal *New York Times* califica las redes de televisión como esfuerzos cooperativos para formar y cambiar sutilmente la opinión pública sobre problemas políticos, sociales y ambientales en un intento de lograr «nada menos que un cambio en las normas sociales estadounidenses». El industrial Jay Winstein, que maneja información calificada, advierte que nos hemos embarcado en un camino que conduce nada menos que a la «aplicación de las pericias de la avenida Madison para afectar a la población a través de los medios masivos de comunicación».

La abogada de Hollywood y activista ambiental Bonnie Reiss está tan convencida de que los medios masivos pueden modificar encubiertamente la percepción pública, que ha dejado su trabajo a fin de usar su influencia para hacer que se introduzcan temas ambientales en la televisión, el cine y la música. «Me [doy cuenta] que hay unos pocos miles de personas que pueden afectar a unos pocos millones». Y el ex presidente de la NBC, Grant Tinker, es bastante directo acerca de todo esto: «Si podemos comenzar a cambiar las actitudes en este país, podemos comenzar a cambiar la conducta».

Un mundo, una mente

El alcance de los medios estadounidenses ahora se extiende a todo el mundo. Recientemente entrevistamos a un hombre llamado Richard Gabriel para uno de nuestros videos. Es experto en asuntos del Medio Oriente y de Rusia. Señala que está ocurriendo algo único. Millones de personas de aislados rincones del planeta aprenden inglés viendo CNN y las películas estadounidenses. No cabe duda de que si están aprendiendo el idioma, también están aprendiendo los valores culturales propugnados por Hollywood, los cuales todos toman como si fueran valores estadounidenses. Lo que estamos presenciando es la formación de la primera cultura global en la historia del mundo, ¿verdad? Bueno, no exactamente.

¡Edifiquémonos una torre!

En la época de Génesis la humanidad hablaba un solo idioma. Pero eso significaba mucho más que simplemente tener palabras en común. La gente tenía en común cultura, valores y creencias. Así que un día decidieron que se unirían y construirían una torre que llegara hasta el cielo.

No estaban tratando de construir una torre de un millón de kilómetros de altura. Estaban edificando un observatorio astronómico que les permitiera desarrollar más su mitología común. La mayoría conocemos la historia:

> Y descendió Jehová para ver la ciudad y la torre que edificaban los hijos de los hombres. Y dijo Jehová: He aquí el pueblo es uno, y todos estos tienen un solo lenguaje; y han comenzado la obra, y nada les hará desistir ahora de lo que han pensado hacer. Ahora, pues, descendamos y confundamos allí su lengua, para que ninguno entienda el habla de su compañero ... Por esto fue llamado el nombre de ella Babel, porque allí confundió Jehová el lenguaje de toda la tierra, y desde allí los esparció sobre la faz de toda la tierra. (Génesis 11.5-9)

Dios sabía que si todo el pueblo se unía en su estado caído, el resultado sería desastroso. Después de todo, la base de su unidad era una torre astrológica.

Dios tenía una razón para destruir la torre y esparcir al pueblo por toda la faz de la tierra. Vio que si los dejaba continuar, «nada les hará desistir ahora de lo que han pensado hacer».

Parte de este poder de unidad se debía al poder de las fuerzas ocultas que todo el mundo acariciaba. Como veremos en el próximo capítulo, los mismos poderes se han convocado ahora como la fuerza unificadora del mundo actual. Sin embargo, también había poder en la unidad de propósito, pensamiento y creencia.

Desde ese día hasta ahora la humanidad ha estado dividida en diferentes culturas e idiomas. Pero en la actualidad, por primera vez en miles de años, estamos logrando un gran avance para contrarrestar el plan de Dios con uno nuestro:

> Tomemos la traducción simultánea. Programas rudimentarios de «software» ya pueden tomar una carta en correo electrónico escrita en inglés y traducirla a idiomas completamente no relacionados como el japonés, aunque con muchos errores. CompuServe, el popular servicio comercial en línea con acceso a ciento cincuenta países, acaba de abrir un foro mundial en que los mensajes se pueden traducir automáticamente entre inglés, alemán y francés. En los próximos veinticinco años, con el poder computacional que se dobla cada dieciocho meses, se puede concebir que podremos dominar el muy complicado arte de traducir los idiomas naturales en forma instantánea. Pero es un gran debate entre los que trabajan en el problema, y algunos piensan que llevará más tiempo. ¿Qué ocurrirá entonces cuando se haya resuelto? Cualquier cosa que escriba lo podrá leer cualquier persona del planeta en su idioma nativo. Podría tomar el teléfono, o su sucesor, el videoteléfono, y sostener una conversación instantánea con otra persona en cualquier país.

TORRES DE BABEL SURGEN POR DOQUIER

Sin embargo, cuando hablamos de los esfuerzos de la humanidad por luchar contra el efecto Babel, no nos referimos básicamente a un idioma común. Nos referimos a la primera cultura unida, global, desde la torre de Babel. En la actualidad, cuando viajamos por el mundo y vemos antenas de televisión instaladas en las cumbres de los montes, y transmisores satélites junto a los estudios de televisión, nos preguntamos si estos son los sustitutos modernos de la torre de Babel. Después de todo, la televisión es el primer avance de la humanidad que trata de deshacer lo que Dios hizo en la torre de Babel. A través de la programación global de nuestro tiempo, se está restaurando una cultura global, en el tiempo de la intentona final de la humanidad por construir un reino sin Dios.

Capítulo 10

Debido a lo que han hecho, los cielos han llegado a ser parte verdadera del mundo del hombre. Por un momento de valor incalculable en toda la historia de la humanidad, todo el pueblo de esta tierra es verdaderamente uno.

Presidente Richard M. Nixon (con motivo del primer alunizaje).

Como se vio en la tele

—Este es un pequeño paso de un hombre, pero un paso gigantesco de la humanidad.

—¡Corte! Neil, tienes que decirlo con más lentitud. Dilo como si realmente estuvieras algo lejos de este mundo. Tratemos nuevamente. Regresa a la escalera. ¡Ajá! Luces. Cámara. ¡Acción!

—Este es un pequeño paso de un hombre, pero un paso gigantesco de la humanidad.

—Excelente. Eso es todo. Buzz, Neil, quítense los trajes. Filmaremos la caminata lunar después de almuerzo.

¿Pudo haber ocurrido?

Todos los que vivíamos en esa época recordamos dónde estábamos ese día de julio de 1969. Todos nos acordamos que esa noche mirábamos la Luna de un modo que nunca antes lo habíamos hecho. Después de todo, no todos los días alguien camina sobre la Luna por primera vez.

Sin embargo, ¿cómo sabemos que realmente ocurrió? ¿Cómo sabemos que Neil Armstrong y Buzz Aldrin caminaron sobre la Luna ese día? Bueno, todos responden, ¡lo vimos en la televisión!

Pero aguarde un minuto. También hemos visto hombres que caminan al lado de dinosaurios en *Parque jurásico*. Vimos a Forrest Gump estrechando las manos de John F. Kennedy en una reciente película ganadora de un Oscar. Y en *Viaje a las estrellas* conocimos klingonios, romulanos y cardasianos.

¿Cuál es la diferencia? La respuesta es que estas son películas y el alunizaje fue un acontecimiento real. ¡Ajá!, está bien. Entonces, díganos, ¿cómo sabe que fue un acontecimiento real?

Si no es un científico, un operador de radar para escudriñar lo profundo del espacio, ni miembro de un equipo de la NASA, el hecho es que sabe que ocurrió solo porque se lo dijeron. Es claro que no estaba en el Mar de la Tranquilidad ese día. No tenía la faz de la Luna al alcance de su vista. Y es un hecho que no puede decir si Neil Armstrong estaba realmente en la superficie de la Luna o en un escenario de Hollywood.

No estamos sugiriendo que Neil Armstrong no caminó por la Luna. Estamos indicando lo mucho que confiamos en los medios masivos para decir lo que pasa en el mundo (y más allá).

HOUSTON, TENEMOS UN PROBLEMA

Pero, ¿existe una clara línea que separe la ficción de la realidad? Ya mencionamos el caso de Dan Quayle, el vicepresidente de Estados Unidos que sostuvo un debate de actualidad con un personaje ficticio, Murphy Brown. Piense en lo que sabemos de política. En la actualidad, las imágenes, las posiciones y los sólidos argumentos presentados por los candidatos los elaboran cuidadosamente sus instructores y consultores de los medios.

Entonces, así como los verdaderos *sesos* tras cada palabra de Murphy Brown eran los guionistas y directores de la red, ¿no deberíamos considerar que los verdaderos *sesos* detrás de Quayle como personaje eran sus fabricantes de imágenes? Por tanto, ¿no eran ambos personajes ficticios al menos en cierto grado?

Esa es la cuestión. Las líneas entre lo real y lo ficticio en los medios de hoy se hacen cada vez más difusas. En un mundo así el potencial para la manipulación de las masas es sorprendente. Considérese el siguiente escenario.

ENGAÑO DIGITAL: EL ARMA DE UN NUEVO MILENIO

> [AP] Bagdad: Saddam Hussein, el dictador que se enfrentó a las fuerzas conjuntas del mundo, fue removido del poder hoy. A Hussein lo derrocó un levantamiento popular que provocó una filmación que lo muestra bebiendo alcohol y comiendo cerdo. Estas dos actividades son abominables para la tradición musulmana. A pesar de haber resistido a los ejércitos del mundo, Hussein no pudo resistir la presión de millones de musulmanes que se sintieron traicionados por sus acciones. Sin embargo, se comprobó que la película de Hussein bebiendo alcohol y comiendo cerdo la creó digitalmente la CIA que la entregó a la televisión iraquí.

¿Es esto posible? Por supuesto. Lo es. Quienquiera que haya visto la película *Forrest Gump* ha visto cómo se puede usar la tecnología digital para introducir a una persona en una escena en la que nunca ha estado. Los creadores de la película pudieron editar a Gump en una ceremonia de la Casa Blanca junto a John F. Kennedy. Si vio la película, de dio cuenta de lo perfecta que es.

Las posibilidades se hacen rápidamente infinitas. Como dice Víctor Burgin, experto en cinematografía:

> Una de las cosas lindas que puede hacer con la tecnología en lo avanzada que está ahora es que, sobre su propio escritorio, puede tomar una cinta de video o disco láser de una película, puede enviar una señal digital a la computadora y ver la película en la pantalla. Puede detenerla, retrocederla, ponerla a cámara lenta y muchas cosas más ... La computadora le da el poder de cambiar todo en la película. Puede tomar un personaje de una

> escena, *guardarlo en la actitud seleccionada y luego introducirlo en alguna otra escena* (énfasis agregado).

¡Cáspita! Lo que Burgin dice es que podría tomar, por ejemplo, una imagen del primer ministro israelita Benjamín Netanyahu en cierta actitud, digamos, riéndose de un chiste, y luego insertar su imagen en una escena donde alguien está rogando una causa muy emotiva y hacer que el primer ministro aparezca riéndose de esa persona.

Estos son problemas muy reales que enfrentamos en el mundo digital de hoy, en que será imposible decir lo que es real y lo que no lo es. Además, en un día cuando virtualmente todo lo que sabemos del mundo nos llega a través de los medios masivos, el potencial para el fraude directo, además de la manipulación, es algo de lo cual debiéramos estar muy conscientes. Sin embargo, la mayoría de la gente ni siquiera ha pensado en eso.

¡DAME UN DESCANSO!

El experto en medios de comunicación masiva Michael Medved comenta que uno de los argumentos más ridículos presentados es la afirmación de Hollywood, que sus películas no afectan a la sociedad. No vamos a entrar en la argumentación aquí porque la verdad es evidente por sí sola.

> ***Televisión: Un medio. Se llama así porque no es rara ni está bien hecha.***
>
> ***Ernie Kovacs***

Sin embargo, señalemos que la Asociación Estadounidense de Siquiatría estudió el problema y llegó a la conclusión de que «la televisión y las películas de violencia son responsables de cincuenta por ciento de la violencia en nuestra sociedad». Uno de sus miembros, el Dr. Brandon Centerwall, estima que «habría diez mil homicidios menos, setenta mil violaciones menos, un millón menos de robos de vehículos, dos millones y medio menos de robos y diez millones menos de hurtos cada año [en Estados Unidos] si no fuera por la violencia en la televisión y en el cine».

Las imágenes de los medios del mundo real tienen un efecto inmenso sobre la sociedad también. Piénsese en la reacción ante el video granulado de dos minutos que mostraba a oficiales de la policía que golpeaban a Rodney King. Nadie puede negar el efecto que ese video y el subsecuente comportamiento de los oficiales tuvo sobre una comunidad negra comprensiblemente alterada.

Ahora bien, imagine si a la población se muestran imágenes seleccionadas a propósito. ¿No podrían entonces moldear la sociedad quienes controlan esas imágenes? En una interesante tesis sobre el tema, titulada «¿Ha llegado la realidad a tener la profundidad de la pantalla?», Gerrit du Preez llega a la conclusión:

> Los medios no son un testigo inocente de los cambios en la sociedad; más bien son un agente activo. Los medios no solo lleva el mundo a nuestra sala en la forma de televisión; está cambiando fundamentalmente la forma en que funcionan las cosas «allá afuera».

De igual modo, el observador de los medios Douglas Rushkoff nota que los activistas actuales de los medios «dominan las técnicas más sofisticadas de control de pensamiento, reconocimiento de patrones y programación neurolingüística y los usan para crear una televisión que cambie la forma en que vemos la realidad y, por consiguiente, la realidad misma».

El viaje a Marte que no existió

La película *Capricornio uno* se estrenó en 1978. Como nuestra hipotética historia lunar al comienzo del capítulo, narra la historia de un vuelo fraudulento a Marte. En la película, los astronautas deciden que no pueden seguir con el fraude. Entonces pasan el resto de la película escapando del escenario y de los agentes del gobierno que trataban de matarlos antes que dijeran al mundo que todo había sido un fraude.

El director de la película, Peter Hyams, habló de su motivación para hacer esta película: «Asimismo dije que sería interesante si tomamos un acontecimiento de importancia trascendental en que la única fuente que la gente tiene es su pantalla de televisión, y mostrar lo fácil que sería manipular a todos».

La realidad puede ser más extraña que la ficción

¿Qué significa todo esto? ¿Por qué es importante? Bueno, escuchemos lo siguiente.

Hay un reconocimiento extendido de que nuestra era de la información global ha hecho que muchas instituciones del pasado hayan quedado atrasadas, si no del todo obsoletas. Por ejemplo, las Naciones Unidas es completamente ineficaz para resolver los actuales problemas globales. Las alianzas políticas, las tecnologías armamentistas, economías completas y hasta el ambiente cambian con tanta rapidez que muchas voces de importancia expresan su preocupación de que todo el sistema mundial va a colapsarse bajo su peso. Por eso es que en la actualidad escuchamos un claro y continuo llamado por un nuevo orden mundial. Ese orden podría reestructurar completamente todo sobre la faz de la tierra a fin de enfrentar los desafíos del nuevo tiempo en que vivimos.

La pregunta del millón de dólares, no, de los mil millones, es esta: ¿Cómo vamos de aquí para allá? ¿Cómo pueden las diversas culturas y pueblos, divididos y a veces en estado de guerra entre ellos, unirse en una sola y feliz familia global?

Piénsese en lo que se necesita. La paz entre israelitas y árabes, entre serbios y bosnios musulmanes. Confianza entre negros y blancos, entre franceses e ingleses. Tratos justos entre oriente y occidente y entre norte y sur.

¿Qué es lo que posiblemente podría unir a estos pueblos? Es difícil de imaginar que se produzca a través de la negociación no importa cuán decididas estén las partes involucradas. Piénsese en el proceso de paz árabe-israelí. Dos pasos hacia adelante, siete hacia atrás. Se necesitan meses o quizás años solo para llegar a la mesa de negociación, para qué hablar de progreso.

La mayoría de los estudiantes de algo llamado evolución societaria observan la situación y dicen que no puede ocurrir sin una especie de detonador, un acontecimiento masivo, impensable, que empuje a la humanidad hacia el próximo nivel. Ervin Laszlo, ex jefe del Instituto de las Naciones Unidas para la capacitación y la investigación (UNITAR, por sus siglas en inglés), resume la situación de esta manera:

> Hay evidencia que muestra que el sistema presente no se puede sostener indefinidamente, que en realidad está en las últimas ... Como en la naturaleza, también en la sociedad, *no hay verdadera evolución sin crisis* ... ***el cambio profundo y duradero solo viene cuando el sistema mismo se ve gravemente desestabilizado por nuevas condiciones*** ... La humanidad ahora se acerca a un punto de grave inestabilidad ... Este es el «ridículo control» que marcaría el paso de la humanidad hacia una nueva era, ¡o hacia la inconsciencia! (Énfasis añadido)

Según Laszlo, la transformación hacia un nuevo mundo no puede venir gradualmente mediante la negociación. Solo se producirá cuando la humanidad enfrente un acontecimiento monumental que hará que el mundo reconsidere el modo en que ve todas las cosas. Pero Laszlo señala además algo que debiera poner en su debido centro todo el análisis del asunto:

> Seres humanos conscientes dotados de un conocimiento básico de la evolución societaria, podrían aprovecharse de cualquier grado de libertad que tal evolución ofreciera e influir rumbo a la evolución para su propio provecho.
>
> Mensaje ante Worldview 84 en Washington D.C.

De igual modo, el destacamento especial de la era de las comunicaciones ha llegado a la conclusión de que debido a «nuestra capacidad de ver el punto histórico decisivo en que nos encontramos podemos en forma más deliberada y consciente influir con nuestra dirección».

¿Oye lo que esta gente dice? Sugieren que necesitamos una crisis de gran magnitud que nos empuje hacia el nuevo nivel de civilización, hacia un nuevo orden mundial. Sin embargo, también indican que el proceso podría controlarse, o que podría organizarse una falsa crisis para que el mundo acepte la idea de un nuevo orden mundial.

Entonces, ¿qué acontecimiento masivo podría quizás cambiar la comunidad mundial tan drásticamente que de repente pudiera olvidar las cosas que la dividen y abrazar con osadía un nuevo orden de tiempos?

APOCALIPSIS AHORA

Imagínese, así sigue el razonamiento, que el mundo pone las noticias de la noche y oye que el arsenal militar de la ex Unión Soviética lo ha tomado fuerzas rebeldes que han lanzado un ataque nuclear a gran escala contra Estados Unidos. El siguiente anuncio es que Estados Unidos ha lanzado un contraataque. De repente, el mundo como un todo comprende que los acontecimientos están del todo fuera de control. Es cuestión de unos minutos para que destruyan la mayor parte del mundo.

El padre se sienta con su hijo, incapaz de protegerlo en alguna forma. La madre, desesperada, quiere que todos bajen al sótano para retardar un poco el destino cierto, con la esperanza de que todo solo sea un mal sueño. Pronto se apodera de todo el mundo la sensación de un destino común. El hombre de Moscú comprende que el hombre de Washington está en su misma condición. Los miles de kilómetros que antes separaban sus mundos han desaparecido. La crisis y el vínculo común a través de la televisión instantáneamente los unió en una común desesperación inútil.

Ahora, supongamos que de alguna manera se conjura la crisis. Surge un líder mundial y se dirige a un mundo que pone en él su completa y unánime atención. Anuncia cómo se impidió el desastre para luego explicar que no se puede permitir que una atrocidad de tal magnitud vuelva a producirse. Con énfasis insta a la audiencia mundial que comprenda la unidad del planeta y que su destino es vivir o morir juntos. Su diatriba se lanza contra las pequeñas diferencias nacionales, culturales y religiosas y exhorta al mundo a unirse como uno en esta «nave espacial» que es la Tierra.

La escena no es del todo irreal. Apenas evitado el desastre, el mundo estaría bien dispuesto para aceptar los compromisos y sacrificios requeridos por un lugar global. Algunos sostienen que el cambio de pensamiento provocado por esa crisis no solo haría deseable el sistema, sino también imperativo para la salvación de la humanidad. Más aun, un desastre tan cercano podría causar fácilmente un colapso económico mundial, solo para acrecentar la necesidad de sistemas globales de recuperación. Las alianzas políticas nacionales se demolerían quedando completamente obsoletas ante la formación de un sistema mundial de gobierno. Agréguese a ello los problemas comunes de ambiente y población, y se haría irresistible la fuerza de arrastre hacia el sistema global.

¿PERO ES SUFICIENTE?

Sin embargo, muchos estudiosos de la evolución societaria afirman que una crisis como esta no bastaría para impulsar la humanidad hacia una nueva era. El problema, dicen, es que aunque una amenaza al bienestar del mundo mostraría lo peligroso que es el sistema actual, no podría dar al mundo esperanzas para el futuro.

Willis Harman, ex consultor del grupo de investigación de las metas nacionales de la Casa Blanca, señala que solo una nueva visión de la humanidad y de su lugar en el universo puede hacer posible que se ponga el fundamento para un mundo nuevo y mejor.

EL ESPACIO: FRONTERA FINAL

Una cosa que podría cambiar la forma de pensar del mundo de la noche a la mañana sería un encuentro cercano de algún tipo. Los ovnis han sido objeto de mucha burla en las últimas décadas, pero ahora se ve que la tecnología que hizo posible el transbordador espacial, combinada con la popularidad de películas tales como la

Guerra de las galaxias y ahora *El día de la Independencia*, ha hecho que millones de personas sean receptivas a la posibilidad de que un extraterrestre (E.T.) visite el planeta Tierra.

Hal Lindsey, al escribir su libro *The 1980s, Countdown to Armageddon* [Década del ochenta, cuenta regresiva hacia el Armagedón], presenta la siguiente escena:

> Las autoridades ahora reconocen que se han confirmado observaciones de objetos voladores no identificados ... Informes en los archivos de la Fuerza Aérea de Estados Unidos revelan que no importa lo que sean estos objetos voladores, se mueven y giran a velocidades que no pueden igualar la tecnología humana. Opino que los ovnis son reales y que pronto habrá un encuentro cercano del tercer tipo plenamente comprobado. Creo que la fuente de este fenómeno es algún ser extraterrestre de gran inteligencia y poder. Según la Biblia, un demonio es una personalidad espiritual que está en estado de guerra contra Dios. La profecía nos dice que se permitirá que los demonios usen su poder de engaño en gran manera durante los últimos días de la historia. Creo que los demonios pondrán en escena una gran nave espacial que venga hasta la Tierra. Pretenderán ser de una cultura avanzada de otra galaxia. Hasta pueden pretender que plantaron la vida humana en este planeta y decirnos que han regresado para hacer un control de nuestro progreso. Ahora muchos científicos, sin mencionar las películas y series de televisión, presentan teorías similares acerca del origen de la vida sobre la Tierra. Si los demonios, dirigidos por Satanás, su jefe, lograron producir ese engaño, podrían con certeza llevar al mundo a un completo error acerca de Dios y su revelación.

BIENVENIDOS A LA ZONA GRIS

Aunque este es solo un ejemplo del tipo de acontecimiento espiritual que podría transformar al mundo, muestra cuán poderoso sería para cambiar el pensamiento del mundo este tipo de acontecimiento que un desastre puramente natural. Un episodio de *New Twilight Zone* [La nueva zona gris] presenta una escena en que durante una caldeada y completamente atascada sesión de reducción de armamentos en las Naciones Unidas, apareció un ovni y se detuvo en el aire sobre el complejo de las Naciones Unidas, y entonces un extraterrestre se materializó en presencia de todos los delegados.

Explicó que habían plantado la vida en este planeta y que habían venido a controlar su progreso. Después de realizar varias señales y maravillas para convencer a las naciones de sus increíbles poderes divinos, les dio exactamente veinticuatro horas para resolver las diferencias. Y lo hicieron. El episodio terminaba con esta afirmación: «Para ustedes que dudan que sea posible la paz mundial, recuerden que primero ocurrió en la zona gris».

Casi como si hubiera visto este episodio en particular, Ronald Reagan expresó la misma idea cuando se encontró con Mijail Gorbachov en 1985. Mientras trataban de encontrar el modo de poner fin a la guerra fría, hizo una reflexión sobre cómo un encuentro cercano eliminaría todos los asuntos preliminares y uniría al instante al mundo:

> Si de repente hubiera una amenaza contra este mundo de parte de especies de otro planeta, olvidaríamos todas las pequeñas diferencias locales que tenemos entre los dos países, y descubriríamos de una vez por todas que realmente somos seres humanos que estamos juntos en esta Tierra.

Ahora bien, como ya sabe, hemos conversado sobre este concepto varias veces en el transcurso de este libro. Esto se debe a que creemos que el tema de los extraterrestres y otros mundos estará muy en el corazón de la toma del poder del anticristo. Imagínese que aterrizara un ovni en Nueva York. Cambiaría de la noche a la mañana el sistema de creencias del mundo. Piénselo. Cambiaría al instante nuestra opinión del universo y de nuestro lugar en él. Sin lugar a dudas podría plantear el desafío más grande de lo imaginable al punto de vista cristiano del mundo.

Y no olvidemos que en el mundo de hoy, donde virtualmente se han borrado las líneas entre la realidad y el engaño, un encuentro de ese tipo bien podría ser una representación. Si el objetivo es manipular, no importa si los ovnis son reales o ficticios. Solo importa que la gente crea que son reales.

¡DIOS SUMINISTRARÁ EL DETONADOR!

El hecho es que sabemos qué acontecimiento va a desatar la transformación hacia el nuevo orden mundial. Es el Arrebatamiento de la Iglesia, y la Biblia nos presentó la escena hace miles de años.

Ya hemos explicado que el Arrebatamiento es ese momento de la historia en que todo verdadero creyente en Jesucristo desaparece de repente de la faz de la Tierra. Si quiere un acontecimiento transformador que haga volar la mente del mundo es este. Literalmente, el Arrebatamiento desatará un completo cambio de pensamiento en todo el planeta. Los demás acontecimientos pueden servir muy bien como cortinas de humo o como hechos secundarios relacionados con la transformación venidera. Pero el Arrebatamiento es el acontecimiento que lo va a cambiar todo.

Y aquí es donde creemos que entran en escena los ovnis. Piénselo por un segundo. ¿Cuál es el único contexto que el mundo tiene acerca de gente que desaparece delante de sus propios ojos? Es el rayo transportador de *Rumbo a las estrellas*. ¿Recuerdan? «Súbeme, Scotty». Por eso creemos que a las personas no les parecerá que se quedaron. Por el contrario, estarán agradecidas de su buena estrella porque las pasaron por alto.

Mientras más pensamos al respecto, más parece encuadrarse esta idea de los ovnis dentro de la mentira de Satanás y su plan de engañar a la humanidad durante el período de la tribulación. Después de todo, da una explicación conveniente en cuanto al destino de los desaparecidos. La idea de que existen razas y especies de otros planetas podría dar a los seres humanos la idea de que pueden llegar a ser más evolucionados de lo que son. Ese es el núcleo del engaño venidero.

HUERTO DE EDÉN: TOMA DOS

Ya mencionamos a Willis Harman, ex consultor del grupo de investigación de las metas nacionales de la Casa Blanca. Al hablar de la búsqueda de un vínculo potencial que pueda unir al mundo, llegó a la conclusión de que solo hay una idea que podría ser lo bastante fuerte para captar el corazón y la mente de la gente. Señalando los sorprendentes descubrimientos en el campo de los poderes síquicos, la percepción extrasensorial, la parasicología, la telequinesia y la comunicación telepática, dijo que solamente la aceptación global de estos nuevos poderes podría unir a la humanidad:

> Si tal paradigma, que comprende un desplazamiento básico en la visión aceptada de la realidad, fuera a convertirse en la base de la sociedad actualmente industrializada, su institucionalización equivaldría a una de las transformaciones más completas en la historia de la humanidad. A tal cambio podríamos aplicarle la palabra griega *metanoia*: un cambio fundamental en la mente, como en una conversión religiosa.

Es notable que esta idea de poderes humanos ampliados se ofrece como el único sistema de creencia que puede unir al mundo en una secta común. Este es quizás el mismo cuento que el anticristo va a hacerle al mundo cuando entre en escena. La idea de un mundo unido por creencias ocultas se remonta a la torre de Babel, el último intento del hombre por construir una aldea global.

¿TIENE PODERES SÍQUICOS? CUÉNTESELO AL BUEN DOCTOR

Aunque parece un poco exagerado que el mundo pudiera abrazar hoy esta jerigonza de la Nueva Era, considere cuánto más el mundo será receptivo a esas ideas exóticas después que millones de personas desaparezcan de la faz de la Tierra. De repente, las antiguas normas ya no tienen aplicación. Es claro, habrá ocurrido algo que ya no encaja con las actuales ideas de ciencia y razón. Además, el apóstol Pablo nos advierte que el anticristo entrará en escena con muestras de «gran poder y señales y prodigios mentirosos» (2 Tesalonicenses 2.9).

Es más, no será el único. Jesús mismo nos advirtió que habría muchos falsos cristos y falsos profetas que mostrarían grandes señales y maravillas, tan poderosos que, si Dios lo permitiera, podrían engañar aun a los creyentes más firmes (Mateo 24.24).

SHIRLEY, ¡BROMEAS!

El poder de la mentira del anticristo no solo será la pretensión de que es un dios, sino también su afirmación de que quienquiera que lo desee puede llegar a ser un dios. Todo lo que la gente tiene que hacer es escarbar entre sus propios poderes interiores. La actriz y gurú de la Nueva Era, Shirley MacLaine lo resume:

> Tú lo eres todo. Todo lo que quieras saber está dentro de ti. Tú eres el universo ... Quizás la tragedia del género humano fue olvidar que éramos divinos ... Nunca debes adorar a alguien o algo que no sea tu yo, porque tú eres dios. Amar el yo es amar a dios ... Sé que existo por lo tanto yo soy. Sé que el dios fuente existe, por lo tanto él es. Puesto que soy parte de esa fuerza, entonces YO SOY la QUE SOY.
>
> *Out on a Limb* [En la estacada], Bantam Books, 1983

¡Ah! No se puede ir más al grano que eso. No es de sorprenderse, si por todas partes la gente realiza milagros, esa gente creerá que puede ser como dios, como el anticristo les dice que puede ser. Desafortunadamente para las almas engañadas es la misma mentira que hizo que Adán y Eva comieran el fruto prohibido en el huerto de Edén: «Seréis como Dios» (Génesis 3.5).

La agenda secreta

Lo maravilloso es observar en la actualidad cómo convergen hacia el mismo punto exacto del tiempo los planes de los seres humanos, de Satanás y de Dios. La humanidad sabe que su sistema no da resultados. Pese a los adelantos en ciencia y humanismo, las guerras y el odio gobiernan el globo.

A veces en forma bien intencionada, y a veces con intenciones egoístas, los globalistas buscan un modo de empujar a la humanidad hacia un nuevo orden que puedan controlar. No es importante si lo logran por fraude ni por engaño. No logran reconocer la mano espiritual invisible que desde un segundo plano está usando sus planes y esfuerzos para establecer su reino: el reino del anticristo. Sin embargo, de alguna manera, ese ángel del engaño no puede ver que todo esto se va desarrollando exactamente como Dios dijo que ocurriría.

¡YA!

Capítulo 11

—La distancia más corta entre dos puntos está en construcción.

Noelie Altito

Navegar a través de la supercarretera

BODA EN EL CIBERESPACIO

—¿Me veo bien? ¿Cómo está mi cabello? ¿Y mi traje? ¿No está muy apretado? Parezco una salchicha, es como para llorar a gritos. ¿A quién le gustaría casarse con una salchicha?

—No te alteres, Susie. Te entró el pánico del día de bodas. Confía en mí. Soy tu madre. ¿Sería tu madre capaz de mentirte? Te ves fabulosa y tu traje es perfecto. Frank te va a dar una sola mirada y va a saber que es el hombre más afortunado del mundo.

—¿Realmente piensas así, mamá?

—Por supuesto que sí, cariño. ¿En qué otras cosas te puedo ayudar?

—Podrías ayudarme a conseguir los ramilletes adecuados para las damas de compañía.

—Con mucho gusto, mi amor. Muéstrame la tela para asegurarme de que hagan juego.

Susie toma un trozo de tela, la pone ante una pequeña cámara montada sobre el monitor de la computadora frente a ella. Se siente aliviada cuando ve en la pantalla una sonrisa de aprobación en el rostro de la mamá.

—Ese se ve fantástico. Dame unos minutos y te buscaré los ramilletes —selecciona «guardar la imagen» y se pone en acción.

La mamá hace clic en el menú en la parte alta de la pantalla y comienza a recorrer los centros comerciales que están en línea. Banderas, cuadros, escobas, floristas.

—Aquí lo tenemos —hace clic en un icono que representa un ramo de rosas y mecanografía Irvine, California. Al instante aparece delante de sus ojos una lista de todos los floristas del área de Irvine. Elige uno y en la pantalla aparece el amistoso rostro de una persona.

—Bienvenida a Flores Jennifer. ¿En qué puedo servirle?

—Necesito seis ramos para vestidos de damas de compañía que hagan juego con esta tela —hace clic en la muestra que recibió de Susie momentos antes.

—Ah, es hermosa —dice el amistoso rostro de la vendedora de la florería.

La vendedora le muestra a la madre de Susie varios cuadros de ramos y ella elige uno. Segundos más tarde, Susie mira la selección final en su pantalla.

—Los ramos los entregarán antes de las once, así que las muchachas los recibirán con bastante anticipación.

—Gracias, mamá. Están perfectas para un soleado día de primavera como hoy.

La madre de Susie sonríe.

—Menos mal que tienes sol en California. Está lloviendo con un terrible mal tiempo aquí en Maine —le dice.

—Me pregunto cómo estará el tiempo en Singapur ahora mismo —murmura Susie—. ¿Podrías conectarte con Frank y preguntarle? Se supone que no debo verlo antes de la boda.

¿Le suena esto como tomado de una película futurista? ¿O por lo menos una telenovela? Bueno, ¡agárrense, el futuro ya está aquí! El Día de los Enamorados de 1996, una pareja de California se unió en matrimonio en una pequeña capilla en un pueblo llamado

Mundos Lejanos. Lo que hacía que la boda fuera tan poco común es que ni la capilla ni la ciudad existían realmente. Al menos no aquí, en el mundo real. La ceremonia se llevó a cabo por CompuServe, el servicio gigantesco de computación en línea, y el novio, la novia, el ministro y los invitados, todos estaban en distintos puntos del país. ¡Bienvenidos al ciberespacio!

¿QUÉ ES EL CIBERESPACIO?

Mientras William Gibson escribía su escalofriante novela futurista *Neuromancer* allá por el año 1984, pasó mucho tiempo en salas de juego locales observando a jóvenes que se divertían con videojuegos.

Notó que estaban totalmente absortos en mente y cuerpo como si realmente hubieran entrado en el mundo proyectado en la pantalla delante de ellos. Los jugadores desarrollaron una «creencia de que hay una suerte de espacio detrás de la pantalla. Allí hay un lugar que no puedes ver, pero que sabes que está allí». Ese espacio lo llamó ciberespacio y actualmente la misma expresión se utiliza para describir *el mundo que está dentro de su computadora.*

> ***Para una lista de todas las formas en que la tecnología no ha logrado mejorar la calidad de vida, presione el 3.***
>
> ***Alice Kahn***

Es posible, a menos que haya estado viviendo en una caverna, que también haya oído hablar del ciberespacio, aun cuando puede haberlo oído llamar por alguno de sus otros nombres tales como la red, la frontera electrónica, o la supercarretera de información. Si adopta la definición del activista de la computación John Barlow, quizás haya estado en él sin saberlo.

Barlow define el ciberespacio como «el lugar donde estás cuando hablas por teléfono». Pero no importa cómo lo llamemos ni cómo lo definamos, el fenómeno es real y está destinado a cambiar esta generación de una manera que ni siquiera comenzamos a imaginar.

La red

Si la historia de la década del ochenta fue la fenomenal evolución de la computadora, la historia de la década del noventa sería la del Internet. Con un crecimiento tan veloz que los que manejan información confidencial en la industria no pueden ni siquiera comenzar a seguirle el paso, algunos cálculos estiman que el corazón del Internet, el Wide World Web [red mundial], creció en el asombroso porcentaje de trescientos cincuenta mil por ciento en 1994 solamente.

En la historia del mundo, ninguna tecnología ha crecido a tanta velocidad, ni el teléfono, ni el fax y ni siquiera la computadora personal (esto es especialmente espeluznante cuando consideramos que las familias estadounidenses compraron más computadoras que televisores en 1995). Cálculos conservadores establecen la población del ciberespacio en las cercanía de los mil millones para el año 2000. Los cálculos tienen que ser conservadores, porque si se mantienen las actuales tasas de crecimiento, la población del ciberespacio *excedería a la población del mundo* hacia el año 2003.

Bienvenidos al mundo del World Wide Web

En la actualidad, cuando oye que la gente habla de Internet, casi siempre se refieren a algo llamado World Wide Web. El w.w.w. es como una gigantesca red interactiva de televisión que tiene literalmente millones de canales denominados páginas de bienvenida. Todo el que tiene una cuenta con un proveedor local de servicio de Internet puede tener una página de bienvenida, y no es sorprendente que la mayoría de la gente la tenga. El resultado ha sido un alud absoluto de información al alcance de sus dedos; y hasta hay algunas cosas útiles entre ellas.

Hay páginas de bienvenida que giran alrededor de cada tema bajo el sol, y es muy posible, no importa cuál sea su interés personal, que encuentre a alguien que comparte ese interés en algún punto de la Web. Hay páginas de bienvenida para quienes aman los gatos, para quienes los odian, aun para quienes aborrecen a los que aman los gatos. Hasta hay una página de bienvenida que muestra el cuadro continuamente puesto al día de la pecera de alguien. Eso es todo. Es todo lo que hace. Sin embargo, cada día miles de personas abren esa página de bienvenida para ver el «pececito». En el ciberespacio su página de bienvenida puede estar allí, lado a lado con IBM, MacDonald y el gobierno de Estados Unidos, compitiendo por conseguir visitantes en el vasto mundo del ciberespacio.

¡Hablemos de crecimiento! Las estadísticas más recientes muestran que aparece una nueva página de bienvenida en línea cada cuatro segundos. El número total de lugares en la Web ahora se duplica cada cincuenta días.

Pero, ¿cómo puede encontrar algo en esa jungla digital?

Con toda esa información en línea, ¿cómo podemos siquiera tener esperanzas de encontrar lo que buscamos? Afortunadamente una variedad de «sistema de búsqueda» le permiten, aunque no lo crea, buscar a través de millones y millones de páginas de información para encontrar exactamente lo que busca. ¿Cuántos cerdos hay en Polonia? ¿Cuánto pesa la Tierra? ¿Quién será el invitado de David Letterman el próximo martes? El Internet puede hallarle la respuesta a casi todo en solo unos pocos segundos.

Uno de los sistemas de búsqueda más popular es el buscador digital de la Corporación Alta Vista, y esta declaración en su página de bienvenida lo dice todo: *Alta Vista le da acceso al índice más grande de la red: treinta millones de páginas en doscientos setenta y seis mil servidores, y cuatro millones de artículos de catorce mil grupos de información Usenet. Se producen más de veintiún millones de acceso en días hábiles.* No cabe dudas, estamos en la era de la información.

El mundo en la yema de los dedos

Con el fin de darles una idea de cuánta cosa hay allí, tratamos de llegar a unos pocos temas en Alta Vista para ver qué encontrábamos. Esta es una cantidad de «éxitos» registrados en varios temas:

TEMA	NO. DE PÁGINAS DE BIENVENIDA
Profecía bíblica	500
Caza del caribú	87
Alimento para perros	3.000
Terremotos	9.000
Tonya Harding	1.000
Presidente Warren Harding	143
Internet	10.232.747
Cristianos	300.000

A propósito, uno de los éxitos en la búsqueda de profecía bíblica es nuestra página de bienvenida *Esta semana en Profecías Bíblicas.* Si le interesa y tiene acceso al Internet, nuestra dirección es www.twibp.com. Ah, sí, otra nota interesante. Si se está preguntando cuán completas son estas búsquedas, considere esto. Mientras averiguaba una lista de los sitios más populares de la Web, escribimos mal la palabra popular, y en *popluar*, Alta Vista encontró 205 páginas, todos ellos eran errores de imprenta como el nuestro.

¿QUÉ ALIMENTA TODO ESTE CRECIMIENTO?

Ahora que tiene una apreciación de la velocidad con que crece esta supercarretera de información, dediquemos un minuto para examinar algunas de las razones que están detrás de este éxito increíble.

Primero, un poco de historia. El Internet lo concibió originalmente un hombre llamado Larry Roberts a principios de la década del sesenta. Entonces no se llamaba Internet. Se llamaba ARPAnet, y nació simplemente como resultado de la guerra fría. Comisionado por los militares, el gobierno de Estados Unidos estaba tratando de crear un sistema de comunicación que pudiera sobrevivir a un ataque nuclear. La idea era enviar mensajes en «paquetes» que pudieran viajar por cualquiera de una cantidad de rutas a su destino. Si toda una ciudad desaparecía, los mensajes simplemente podían seguir otra ruta, y así fue que nació el Internet.

En la actualidad el Internet se ha levantado sobre ese fundamento original, y debido a que simplemente «se llevó a cuestas» en el sistema telefónico existente, ha sido relativamente fácil lograr su rápido crecimiento. No hubo que cavar zanjas, enterrar cables, ni parar postes en todo el país. Utilizando los alambres y cables ya instalados, el Internet pudo abarcar todo el mundo civilizado de la noche a la mañana.

Y mientras hablamos de las ventajas que han ayudado a que el Internet crezca como lo ha hecho, no olvidemos lo más importante de todo: ¡Es un gran producto! Sin dudas, el Internet representa una tecnología notable y gracias a la capacidad de multimedios de la World Wide Web, la gente simplemente no puede esperar para dejarse enganchar. Una encuesta reciente de *Time*/CNN mostraba que aunque cincuenta y siete por ciento de los estadounidenses no sabía lo que era el ciberespacio, ochenta y cinco por ciento estaba seguro de que les había mejorado la vida. Además, para una generación de adictos a la televisión, el paso a la World Wide Web parece no haber sido grande. Muchos consideran que era la evolución natural de los medios. Para la mayoría la transición de «adictos a la tele» a «adictos a la computadora» fue imperceptible.

La ventaja que más pasan por alto los propietarios de computadoras es que si estas fallan, no hay una ley que les prohíban darles una zurra.

Porterfield

Tal vez el factor más importante de la rápida expansión de la red ha sido el precio. Para la mayoría de la gente esta tecnología es convenientemente accesible cuando se considera lo que se obtiene con lo que paga. A través de la red puede hacer llamadas telefónicas, compras, pagar cuentas, escribir cartas e investigar acerca de cualquier cosa. Hasta puede mirar televisión y escuchar radio allí en su computadora personal. Claro, el equipo es un poco más caro que un buen televisor, pero el precio está disminuyendo constantemente, y no pasará mucho tiempo hasta que una computadora con acceso al Internet sea tan indispensable como un televisor o un teléfono en el día de hoy.

¿Cuán cerca estamos?

Para entrar en el mundo virtual del ciberespacio vía Internet, solo necesita dos cosas: Una computadora con un módem y una línea telefónica. Eso es todo. Así que ahora, casi cada estadounidense está a mitad del camino si considera que más de noventa y ocho por ciento de los estadounidenses tiene teléfono. En cuanto a las computadoras, la cifra alcanza casi cincuenta por ciento y crece a la velocidad del rayo. El número de hogares equipados con computadoras va a expandirse más rápidamente aun en los próximos años gracias a su creciente poder y la caída en picada de los precios.

> ***La programación actual es una carrera entre ingenieros de «software» que se esfuerzan en fabricar programas mayores y mejores a prueba de tontos, y el Universo tratando de producir mayores y mejores tontos. Hasta ahora, el Universo está ganando.***
>
> ***Rich Cook***

Muchas empresas de importancia trabajan en terminales que les permitirán un acceso completo al Internet por un precio inferior al de un televisor nuevo. Entonces, ¿está el precio al alcance de los estadounidenses? Solo dos por ciento de los hogares estadounidenses no tiene televisor a color. ¿Por qué? Porque se ha convertido en una necesidad en el mundo actual. Con eso basta.

Red de comunicaciones globales

Hasta aquí hemos estado hablando de Norteamérica, pero el verdadero poder del Internet será un fenómeno global. Hasta ahora, ha habido un gran problema con el sueño de un mundo unido en línea. Aunque los teléfonos son una parte integrante de prácticamente cada hogar estadounidense, más de la mitad de la población del mundo vive a más de dos horas del teléfono más cercano. Es muy costoso tender líneas telefónicas, y sin un potencial económico significativo, ninguna empresa estará dispuesta a correr con el gasto de instalar líneas telefónicas en zonas remotas del mundo.

Sin embargo, en la actualidad, con los avances de la tecnología vía satélite y celular, las posibilidades de un mundo completamente interconectado electrónicamente ya no es un simple sueño. La gigantesca corporación electrónica Motorola está trabajando en un proyecto que pretende tener a todo el mundo al alcance de un satélite de telecomunicaciones. La corporación planea hacer esto rodeando la tierra con una serie de satélites, tarea monumental, pero realista. En el mundo de las comunicaciones inalámbricas, un mundo que está literalmente a la vuelta de la esquina, puede salir y comunicarse con alguien, no importa donde esté esa persona.

Otro actor importante en este ambicioso proyecto de unir electrónicamente al mundo no es otro que el fundador y presidente de Microsoft, Bill Gates. Junto con Craig McCaw, de McCaw Cellular, Gates ha formado la Corporación Teledésica, que tiene planes de agregar una flota de más de ochocientos satélites a los que ya orbitan la tierra. La meta es sencillamente «llevar la supercarretera de información con toda su gloria aun al más remoto lugar del globo hacia el final del siglo».

Con tantos satélites en órbita alrededor del mundo, no importa dónde se encuentre, puede estar seguro de que siempre tendrá al menos un satélite que pasa por sobre su cabeza. Así también, para asegurar que todos puedan estar en contacto, esta cobertura vía satélite podría significar que muchas estaciones terrestres, mucho menos poderosas, tendrían necesidad de usar la tecnología. Según los que manejan información confidencial, «todo lo que necesitaría es una estación a batería y una antena de dieciocho pulgadas. Eso permitiría que hasta el país más pobre pueda conectarse».

¡AÚN NO HA VISTO NADA!

De modo que aquí vemos que se hacen los trabajos preliminares para un mundo unido como muy pocos soñaban posible hace unos pocos años. Sin embargo, recuerde que, por impactante que todo esto sea, aún no ha visto nada.

Y no se trata de una de esas quimeras, como volar de Nueva York a París en veinte minutos ni de un automóvil volador como el que tiene George Jetson de las caricaturas del sábado por la mañana. Aunque estas proezas pueden ser posibles algún día, sin duda no son inminentes. Cuando se llega a un mundo unido electrónicamente por la supercarretera de información, sin embargo, no esperamos que algún avance tecnológico lo haga todo posible. La tecnología que nos lanzará hacia el futuro *ya está aquí*. Solo esperamos que *ocupe su lugar*.

El ciberespacio en que gastamos nuestro tiempo ahora, dentro de cinco años hará que la tecnología de hoy parezca algo de la Edad Media. En aquel tiempo la gente mirará hacia atrás hacia el estado actual del mundo y se preguntarán cómo nos las arreglábamos para sobrevivir sin la tecnología que dan por hecho.

NECESITAMOS UN CONDUCTO MÁS GRANDE

¿Qué estamos esperando? En gran medida la respuesta es una: ancho de banda. En los términos más sencillos, el ancho de banda se refiere a la cantidad de información que se puede comprimir en la tubería de información. Pensemos en el Internet por un momento. El ancho de banda es lo único que se interpone en el camino de poder ofrecer un valor de magnitud tan increíble a través de la red, que la televisión misma podría convertirse en una cosa del pasado. Por ejemplo, podría visitar nuestra página *Esta semana en las profecías bíblicas* y seleccionar cualquiera de nuestros episodios pasados para verlos allí en su computadora. La tecnología que hace esto posible ya existe, pero para hacerlo en forma adecuada, debemos encontrar un modo de enviar más información mediante el conducto del Internet.

Para aclarar el problema del ancho de banda, imagínese que trata de llenar una piscina en su patio usando una manguera de jardín. Si tiene una piscina no tiene que imaginarlo. ¡Le llevaría días! Ahora imagínese que la llena con una manguera de incendio. Podría llenarla en un par de horas. Finalmente, imagínese que un conducto de concreto de dos metros de diámetro desagüe en su piscina: la llenaría en cuestión de minutos.

Regresemos al Internet. La vasta mayoría de las conexiones de Internet se hacen a través del alambre de cobre de los teléfonos, antiguallas de hace una generación. Estas son la mangueras de jardín de la era de la información. Algunas ciudades ahora están instalando sistemas de cable coaxial que nos traen la televisión por cable. Pero en forma creciente, el mundo se está conectando con algo llamado fibra óptica, minúsculas hebras de vidrio capaces de transportar pasmosas cantidades de información a través del ciberespacio. Como ya habrán adivinado, la fibra óptica es el conducto de concreto de la era de la información.

A TRAVÉS DEL VIDRIO QUE MIRA

Reducida a cifras de información real, esto es lo que puede significar la diferencia en el ancho de banda: Un cable telefónico de cobre puede llevar unos diez mil bits por segundo, poco menos que el texto contenido en una página de este libro. Un cable coaxial puede transportar diez millones de bits por segundo, el equivalente a una novela de quinientas páginas. Un cable de fibra óptica puede llevar diez mil millones de bits por segundo, o casi un centenar de esas novelas de quinientas páginas. Los crecimientos son literalmente pasmosos cuando entramos en los métodos más rápidos de transmisión, y la capacidad que van llevar a la supercarretera de información va más allá de lo que podamos creer. Sin embargo, tenga por cierto que dentro de poquísimos años la gente encontrará que necesita más aun.

Repetimos, antes de pasar a considerar el futuro del ciberespacio: recuerde que esta tecnología ya existe. Solo falta colocar los cables y dejar al mundo interconectado.

Imagínese, en el mundo de la medicina, los especialistas podrán examinar a pacientes que están a miles de kilómetros de distancia. Los profesores podrán enseñar en salas de clases virtuales con un estudiantado compuesto por muchachos que viven en doce países. Cada estudiante de física estará en condiciones de «sentarse» a escuchar las clases de Stephen Hawking. Padres muy ocupados podrán hacer sus compras de rutina sin salir de casa.

De cibercompras

Es obvio que una gran parte de cualquier sistema como este va a ser comercial, de modo que ir de compras en el ciberespacio se va a convertir en una realidad en un futuro muy cercano.

Ya ahora, las ventas en el Internet se acercan a la marca de mil millones de dólares al año, pero se espera que ese número saltará casi a veinte mil millones hacia el final del siglo. Probablemente no esté lejos el día en que la mayor parte de nuestras compras se hagan en el ciberespacio, y al poco tiempo la gente se preguntará cómo es que nos arreglábamos para vivir sin eso.

«Vamos, abuelo, debes estar bromeando. ¿Esperas que creamos que cuando necesitabas una chaqueta nueva, tenías que ir en persona a un gran edificio lleno de ropa y buscar la que te gustaba?» Una conversación de este tipo podría parecer muy lejana, pero no se rían. Está más cerca de lo que piensan.

¿Cuánto vale la chaqueta de Jerry Seinfeld?

Bill Gates, fundador y presidente de Microsoft, principal empresa de «softwares» de computación del mundo, tiene la visión del día en que la televisión y el Internet estén tan entretejidos que pueda literalmente combinar la diversión con sus compras. Digamos que está recostado en su sofá mirando una reposición de Seinfeld en televisión.

Se da cuenta que la estrella del programa usa una chaqueta que le gusta mucho, así que toma el control remoto, lo apunta hacia el televisor y aparece un puntito rojo en la pantalla. Lo mueve hacia la chaqueta de Jerry y hace clic con el botón azul del control remoto. En la pantalla aparece una ventanita blanca que le dice que la chaqueta es de cuero auténtico, viene en tres tallas y cuesta ciento diecinueve dólares. Hace clic en «grande» y «sí» y eso es todo. Al día siguiente, le llega a la puerta una chaqueta igual a la de Jerry. Ni siquiera tiene que preocuparse de pagar, puesto que el dinero se lo descontaron automáticamente de su cuenta en el instante que hizo clic en «sí».

Tiendas, adiós; hola, QVC

No se rían de esos tontos programas de ventas por televisión que transmiten las veinticuatro horas en algunas estaciones. Solo nos dan un vistazo del futuro, y algún día cercano todas nuestras compras las haremos de esa manera.

¿Y los millones de tiendas al detalle que bordean nuestras calles y llenan nuestros centros comerciales? En el mundo de la computación interactiva esto será una cosa del pasado. Muchos de ustedes piensan: *¿Usted cree que seré demasiado perezoso para ir al centro y comprar un par de sandalias?* De ningún modo, aunque para muchos de nosotros esa es una clara posibilidad. Probablemente pueda imaginarse a una persona hace unos doce años, que al mirar el control remoto de su nuevo televisor dice: «será triste el día que esté tan perezoso que quiera caminar hasta el televisor para cambiar de canal». Trate de encontrar hoy a alguien que prefiera cambiar los canales *a la antigua.*

De todos modos, en el caso de las compras en el ciberespacio, no será demasiado lento ir de compras; las tiendas no podrán competir.

Piense en el gasto de abrir y mantener en funcionamiento una zapatería en un centro comercial. Necesita pagar el alquiler, los servicios públicos, el personal, las existencias, los seguros, y no sé cuantos otros líos. Eso hace muy difícil competir con el tipo que no tiene gastos aparte de mantener la existencia de zapatos. Por eso es que los programas de compras por televisión se han convertido en un fenómeno increíble en nuestro tiempo. Cadenas gigantescas como QVC pueden marcar sus productos con ciento por ciento de utilidad y todavía vender su producto muchísimo más barato que sus competidores al detalle cuyos gastos son tan elevados.

Así que las compras electrónicas se convertirán en una realidad cuando la gente siga exigiendo precios bajos y comodidad.

Y no cabe duda que cuando se trata de precios bajos y comodidad, será difícil competir con las compras en el ciberespacio.

Al principio podrá haber algo de resistencia a la idea de las compras en el ciberespacio. Después de todo lo hemos estado haciendo a la antigua por mucho, mucho tiempo. Pero considere por un momento el ahora familiar cajero automático al lado de casi cada banco en cualquier ciudad. En un inicio la gente se mostraba renuente a hacer negocios con una máquina, pero se estima que dentro de cuatro años más noventa por ciento de las transacciones bancarias se harán mediante cajeros automáticos o bancos en línea. Quizás nos lleve un par de años adaptarnos, pero siempre andamos cerca de donde se promete comodidad y economía.

A TODA CARRERA HACIA LA MARCA DE LA BESTIA

En estos días, nos resulta difícil ir a cualquier lugar sin que la gente nos pregunte acerca de una de las profecías más famosas, la profecía de la marca de la bestia. Después de todo, la Biblia deja muy en claro que en los últimos días se emplazará un sistema que permita al anticristo controlar las compras y ventas en todo el mundo. En cuanto a un examen más detenido de esta profecía y cómo se está cumpliendo, por favor, refiérase a nuestro libro *Racing Toward de Mark of the Beast* [A toda carrera hacia la marca de la bestia]. Puede hallarlo en cualquier librería cristiana.

Primero, miremos la famosa profecía en el libro de Apocalipsis:

> Y hacía que a todos, pequeños y grandes, ricos y pobres, se les pusiese una marca en la mano derecha, o en la frente; y que ninguno pudiese comprar ni vender sino el que tuviese la marca o el nombre de la bestia o el número de su nombre (Apocalipsis 13.16-17).

Después de leer este libro hasta aquí, y especialmente este capítulo, la idea de alguien que pueda monitorear nuestras compras y ventas no parece ser muy exagerada. Sea cual fuere su idea acerca de la profecía bíblica, tiene que reconocer que la profecía citada es escalofriante.

Con el creciente avance hacia una sociedad sin dinero, y con las operaciones bancarias electrónicas en auge, la suma de las compras electrónicas, la interconexión mundial y la interdependencia global seguramente hace que la profecía de la marca de la bestia parezca mucho más realista hoy que hace diez años. Al final del siglo parecerá casi inevitable.

La anulación del efecto Babel

Toda esta charla sobre un mundo unido en el ciberespacio deja en pie una pregunta muy importante. Si un corredor de bolsa de Nueva York está electrónicamente unido con un comprador potencial en Estocolmo, ¿cómo podrían tener su comunicación? Después de todo no estamos en *Viaje a las estrellas*. No todos en el universo hablan el inglés a la perfección.

Como dijimos antes, tranquilícese, hay una solución a este problema. O, al menos, habrá una pronto. Una empresa en Fairfax, Virgina, llamada Globalink, recientemente produjo un notable «software» llamado Web translator. ¡Hasta aquí es capaz de traducir cualquier página Web del castellano al inglés, al francés y al alemán en menos de veinte segundos!

Es un logro asombroso, y puede apostar que se está trabajando mucho para perfeccionar esta tecnología y para sumar muchos otros idiomas a la mezcla. A medida que las computadoras se hacen más rápidas (recuerde que la potencia de las computadoras *se dobla* cada dieciocho meses) y que el mercado sigue exigiendo más, se espera que esta tecnología se extienda como un reguero de pólvora, derribando una de las barreras sustanciales para un mundo unido, la barrera del idioma.

¿Y si no quiero ponerme en línea?

«¿De modo que esto significa que me obligarán a estar en línea a fin de sobrevivir en el futuro?», pregunta usted. Se nos ha hecho esta pregunta tantas veces que podrían hacer girar nuestra cabeza. La respuestas es sencilla: Sí y no. En primer lugar, hagamos una importante aclaración que tiene que ver con la palabra *obligado*.

Lo pueden «obligar» a hacer algo sin necesidad que se le amenace de muerte por no hacerlo.

Considere el teléfono. A nadie se le obliga a tener teléfono, y francamente si usted prefiere vivir en una choza en medio de la selva como el Unabomber,[1] quizás se las pueda arreglar sin uno. Pero para la mayoría la vida sería terriblemente incómoda, y estaría en una enorme desventaja si no tuviera uno. Para casi todos tener teléfono es una necesidad, de modo que la vida en el mundo de hoy nos obliga a tener uno.

Otro ejemplo es la tarjeta de crédito. Aunque muchas personas no tienen una, la mayoría la tenemos, y casi todos tienen más de una. ¿Por qué? Porque hay muchas cosas que no puede hacer sin una tarjeta de crédito. Una de ellas es comprar lo que ofrecen los comerciales de televisión en venta directa. ¿Cuántas veces ha escuchado la expresión: «Lo siento, no aceptamos envíos contra reembolso»? Si ponemos esto en un traductor universal, quiere decir: «Es mejor que tengas una tarjeta de crédito». Ciertamente cuando la mayor parte de nuestras compras y, con el tiempo todas se harán en el ciberespacio, la tarjeta de crédito o cualquier sistema electrónico que ocupe su lugar, será una necesidad. Quizás optemos por no sentirnos obligados a tener una. Quizás decidamos no comer.

Como el teléfono, la televisión y el automóvil, el Internet está destinado a convertirse en una de las cosas de las que no se puede prescindir. Y ese solo hecho ha demostrado ser suficiente para instalarlo en cada hogar de la nación.

---

1. N. de la E.: Ermitaño acusado de enviar cartas con explosivos.

Capítulo 12

Puesto que estamos llegando al final no solo de un siglo, sino de un milenio, sin dudas muchos más demonios y fantasmas aun faltan por inundar los portales.

Hillel Schwartz (Century's End)

2000 d.C.: ¿Está preparado?

—Estoy de acuerdo contigo, Jack. Este es un mundo de cambios increíbles. Quiero decir, piensa en todo lo que hemos estado hablando. No hay dudas que esta generación es tan completamente diferente a cualquier otra anterior que a uno lo deja pasmado.

—Déjame preguntarte algo, Tom. Según tu parecer, ¿cuál ha sido el progreso más impactante de esta generación?

—Eso es fácil. La tecnología. Ya sabes, computadoras, ciberespacio, el Internet, la realidad virtual. Y tú, ¿qué piensas?

—Tengo que decir que son los medios de comunicación masiva. Ninguna generación antes que esta ha tenido a su disposición el increíble poder de comunicar una visión: la forma en que podemos divulgar las ideas y dar a la gente una visión común del futuro. Eso es lo que va a transformar el mundo más que cualquiera otra cosa.

—¿Qué piensas, Tim? Te quedas sentado sonriendo. ¿Cuál piensas que será la influencia más grande en esta generación?

—¿Qué es lo que aún no existe, pero existirá, que engrandecerá el poder de todo lo que han mencionado y las hará más poderosas sin hacer realmente nada?

—¿Qué es eso, un trabalenguas? No puedes contestar una pregunta con una pregunta.

—¡Ajá!, chico inteligente. Nos damos por vencidos. ¿Qué es lo que no existe, pero existirá, que va a afectar a todo el mundo?

—El año 2000.

Interés compuesto

Ahora todos están comenzando a comprender que el año 2000 es mucho más que solo otro año en el calendario. Es además un símbolo y una metáfora. Representa nada menos que la puerta al futuro. Sirve como hito y punto decisivo para tantos valores y sistemas de creencia, que ni siquiera podemos comenzar a contarlos.

> Muchos seguidores de la Nueva Era ven el cambio de milenio como el comienzo de la Era de Acuario. Los futuristas lo ven como el comiendo de la era global. Los del culto a los ovnis lo consideran como el año del contacto. Y muchos cristianos también creen que será el año de la Segunda Venida de Cristo a la Tierra.

La cercanía del año 2000 en realidad está desarrollando todas las tendencias del mundo actual. Se trata de una, si no *la*, principal contribución a la atmósfera de expectativa y de esperanza que azota a nuestro mundo actual. Pero no solo afecta las tendencias generales.

El año 2000 tiene también el poder de cambiar por completo el significado de acontecimientos específicos. Por ejemplo, hemos hablado del efecto que tendría sobre este mundo el aterrizaje de un ovni. Pero imagínese que ocurriera el 31 de diciembre de 1999. De repente se convertiría en una señal de que entramos en una nueva era.

En nuestro tiempo profético, cuando sabemos que el engaño está en el corazón mismo del plan de Satanás para obtener la lealtad de este mundo, no es difícil ver cómo el mundo puede ser fácil y atrozmente engañado por una oportuna demostración de sus «señales y prodigios mentirosos». Como advierte el apóstol Pablo, Satanás vendrá a este mundo con la apariencia de ser nada menos que un «ángel de luz» (2 Corintios 11.14).

FIEBRE MILENIAL

Antes de conversar más acerca del momento histórico que vivimos, queremos señalar que todo esto ya ocurrió antes. ¿Piensa que el mundo recibió con calma el arribo del año 1000? Claro que no.

Aun el cambio de *siglo* basta para crear una corriente de pánico. La infausta novela de H.G. Wells, *La guerra de los mundos*, provocó su cuota de pánico no porque hablaba de una invasión marciana, sino porque se publicó en 1898, durante el fervor del nuevo centenario. Es cierto que solo fue una de quince novelas que aparecieron por ese tiempo con el tema de la invasión marciana. La gente creyó que eso era posible porque el astrónomo italiano Giovanni Schiaparelli descubrió que en la superficie del planeta rojo había canales que la marcaban y se entrecruzaban. La sugerencia de vida inteligente, combinada con el fin del siglo, creó un poderoso cóctel que tuvo a gran parte del mundo preparada para cualquier cosa. ¿No es interesante que la vida marciana esté otra vez en primera plana cuando el milenio toca a su fin?

No hay dudas de que la locura del milenio o del centenario fue un fenómeno importante en el pasado. Tampoco cabe dudas de que ejerce una influencia importante en nuestro mundo actual. Esto no se puede negar. Mucha gente ve el punto de vista cristiano de la pronta venida de Cristo tan solo como otro síntoma de esta realidad comprensible pero peligrosa. Toda esta cosa de la profecía, dicen, desaparecerá en cuanto hayamos pasado el cambio de milenio. Desafortunadamente, como veremos, si el Señor tarda, ¡ellos tendrán algo de razón!

Dos visiones rumbo al enfrentamiento

Como hemos dicho, el año 2000 es mucho más que otro año en el calendario. La revista *Time* dice que el milenio es un «momento cósmico» que:

> Está lleno de inmenso simbolismo histórico y poder sicológico. No depende de cálculos objetivos, sino enteramente de lo que la gente le pone encima: sus esperanzas, sus ansiedades, el interés metafísico de su atención. El milenio es en esencia un acontecimiento de la imaginación. (Otoño de 1992)

A través de la historia, los años de transición, sea cambio de siglo o de milenio (en el año 1000) que ya hemos experimentado, han llevado a la mayoría de la gente a pensar en el juicio y el fin del mundo.

Esa misma tendencia es válida para este tiempo de la historia. Sin embargo, esta vez hay una impactante *visión* en competencia. Es una visión de gran progreso y despertar. Es una visión de la humanidad que de sopetón traspasa una barrera de la manera que los autos pasan a través de láminas plásticas en los comerciales de gasolina.

Es cierto, parte de ello viene del pensamiento de la Nueva Era. Pero, como dice la revista *Time*, más viene de nuestra imaginación. Hollywood y el Centro Espacial de Houston han alimentado esa imaginación, así como nuestros increíbles logros tecnológicos han infundido nuestra recién descubierta confianza.

Imperio malo: no

Pero hay otro ingrediente en esta receta de la visión. Es el deseo colectivo del mundo dar un paso hacia atrás desde el borde del abismo, tanto física como emocionalmente. No olvidemos que no hace muchos años estábamos encerrados en la guerra fría. La Unión Soviética era el «imperio malo». Se necesitaban los misiles del sistema de defensa guerra de las galaxias para protegerse de la aniquilación nuclear. Todos se preguntaban cómo (y cuándo) comenzaría.

Entonces cambió la situación. De repente, casi en un latido del corazón, la Unión Soviética desapareció. Los noticieros se llenaron con planes de desarme. El mundo suspiró aliviado. A pesar de la legítima preocupación de que el mundo solo estuviera celebrando pura retórica acerca del desarme en lugar de eliminar realmente los armamentos, un ambiente de paz corrió por el mundo y en occidente en particular.

De alguna manera, unos diez años antes del cambio de milenio, la humanidad decidió desear la promesa de un mundo pacífico en vez de atascarse en la poco amistosa política del pasado.

Bienvenido lo nuevo, fuera lo viejo

Así que, en un momento de la historia en que todo se ve ampliado por la aproximación del nuevo milenio, y todos los fundamentos del planeta se transforman como nunca antes, la humanidad avanza para abandonar de una vez por todas las antiguas maneras de pensar.

Todo lo que viene del pasado es cuestionable. No solo se trata de la guerra fría. Es el sistema nación-estado. Es nuestra infraestructura económica. Es el uso que hacemos del ambiente. Y la lista sigue. Pero en el centro mismo hay una sensación de que el pensamiento del pasado no tiene sentido en nuestro «valeroso mundo nuevo».

Hoy, existe una lucha entre lo nuevo y lo viejo. Muchas de las antiguas formas de pensamiento continúan pero, ¿por cuánto tiempo? Según el análisis que hicimos anteriormente, una crisis puede empujar a todo el mundo a una transformación increíble de la noche a la mañana.

Deiter Heinrich es el director ejecutivo de World Federalists [Federalistas mundiales] de Canadá. Al considerar el tema del gobierno mundial, lo resume de esta manera:

> El hecho de que el mundo en su estado actual no está todavía listo para un gobierno mundial no significa que los federalistas

mundiales nos hemos adelantado mucho con nuestras ideas, ni que debamos esperar que más gente cambie de pensamiento ... El pensamiento puede cambiar en forma muy repentina en el despertar de una crisis ... Es obvio que no estamos orando por una buena crisis, pero son altas las probabilidades de una sin una federación mundial. Debemos estar preparados en grandes números para impulsar los cambios necesarios cuando las cosas comiencen a agitarse. Así es como ocurre la evolución, no en una curva suave de progreso gradual, sino en accesos de crisis y cambio.

Canadian World Federalist Newsletter, febrero de 1985.

Una vez más, imagínese los cambios increíbles que podrían sobrevenir de repente cuando todos los desafíos que enfrenta nuestro mundo se ven enormes ante la cercanía del año 2000. El mundo estará perfectamente preparado para un cambio masivo de pensamiento, y bastará con un detonador emocional para ponerlo todo en acción. Para el que estudia la Palabra de Dios es difícil imaginar un mundo más perfectamente preparado que este para el engaño masivo. No debe asombrarnos que Jesús dijera que si se les permitiera, podrían engañar aun a los creyentes más firmes.

EL EVANGELIO EN EL MUNDO DE VIAJE A LAS ESTRELLAS

En un mundo donde el pensamiento está en cambio y se desecha lo viejo en favor de lo nuevo, no es difícil imaginar cómo la opinión que el mundo tiene del cristianismo podría de repente empeorar mucho más de lo que es.

Gene Roddenberry, creador de *Viaje a las estrellas*, explica en detalle los parámetros del nuevo evangelio que introdujo en el mundo:

Si el futuro no es para los pusilánimes, con mayor seguridad no es para los cobardes ... Quienes insisten en que el suyo es el único sistema económico o de gobierno merecen el mismo desprecio que quienes insisten en que tienen al único Dios verdadero.

Revista *Time*, 18 de abril de 1988

De igual modo, Mortimer J. Adler, uno de los principales pensadores de nuestro tiempo que ayudó a editar la *Encyclopaedia Britannica*, anuncia que aunque la religión pueda tener un papel en el nuevo orden, tendrá que modificarse ligeramente:

> No tenemos ningún problema si la religión no pretende incluir conocimiento y si no le preocupa lo verdadero ni lo falso. Sin embargo, si pretende incluir el conocimiento ... [y pretende que] solo ella tiene la fuente de la revelación divina, aceptada por un acto de fe que en sí mismo se ha causado divinamente [y si] la religión pretende tener conocimiento sobrenatural, conocimiento que el hombre solo puede tener como don de Dios ... nos enfrentamos con un problema especial.
>
> Mortimer J. Adler, «World Peace in Truth», *Center Magazine*, marzo de 1928

Como verá, no tenemos dos opiniones diferentes del futuro. El evangelio de la Nueva Era no tiene un lugar para la fe cristiana. Mientras se ultraja la teología cristiana porque es divisiva, la idea de la Nueva Era acerca de la religión no solo rechaza el cristianismo, sino que se opone a toda fe que pretenda tener algo que decir acerca de la verdad o que pretenda tener algún conocimiento.

Si no puede responder el argumento de un hombre, todo no está perdido; aun puedes insultarlo.

Elbert Hubbard

Si me odiaran...

Por supuesto, nada de esto le llega como una sorpresa a ningún estudiante de profecía bíblica. Ya dijimos que creemos que el Arrebatamiento es el acontecimiento que detonará el comienzo de la transformación global. Ya hemos dicho también que creemos que será lo que lanzará al anticristo a la prominencia mundial.

Pero, ¿sabe que la Biblia hasta nos dice cuáles serán las primeras palabras de la boca del anticristo? Es cierto, Dios permitió que el apóstol Juan viera con anticipación la aparición de la bestia en el escenario mundial y que escuchara realmente las primeras palabras de su boca dirigidas al mundo:

> Y abrió su boca en blasfemias contra Dios, para blasfemar de su nombre, de su tabernáculo, y de los que moran en el cielo. Y se le pemitió hacer guerra contra los santos. (Apocalipsis 13.6-7)

Así que, las invectivas contra Dios que oímos en la actualidad, no son otra cosa que una pálida anticipación de lo que vendrá. Pero como hemos señalado, en nuestro tiempo hay dos puntos de vista principales acerca del significado del milenio. Veamos el otro.

La profecía se pone al rojo vivo

A medida que nos acercamos al año 2000, el interés en la profecía bíblica se pone al rojo vivo. ¿Por qué? ¿Se debe a que la gente ha estudiado las profecías de la Biblia y están convencidos de que se cumplirán detalladamente? Es lamentable, pero no es así. En cambio, el mayor interés viene de un hecho que por lo general ahoga cualquier otra razón: nos acercamos al año 2000.

En cada punto importante de la historia, la gente ha mirado hacia los cielos creyendo que la suya será la generación que verá la culminación de la historia del mundo y el desarrollo del plan de Dios. Por cierto, cada generación anterior ha estado equivocada.

Aunque en el presente nos sentimos felices de ver que la gente piensa en la venida de nuestro Señor, nos preocupa que lo hagan una vez más por razones del todo erróneas. En vez de entender lo que el Señor ha dicho, los han capturado la emoción del cambio de milenio. ¿Han oído la frase «subirse al tren»? Ocurre con los equipos deportivos cada año cuando tienen que jugar un desempate. A medida que crece la repercusión y sube de punto la expectativa, personas que nunca han seguido a un equipo se convierten en fanáticos acérrimos. Al final de la temporada, tan rápido como aparecieron desaparecen de nuevo.

Francamente, nos preocupa de que esto ocurra en el mundo de la profecía bíblica. La gente se sube al carro por razones falsas. «¿Y qué importa?», quizás pregunte. Después de todo si están a bordo, ¿qué importa la razón por la que están?

A LA HORA QUE NO PENSÁIS...

Bueno, imaginemos que el Señor tarda y no viene hasta dentro de cinco o diez años. ¿Qué tanto interés en la venida del Señor piensa que habrá el año 2003 en comparación con el año 1999? Y la gente que se subió al carro milenial, solo para luego sentirse frustrada, tendrán menos posibilidades de volver a mantenerse vigilantes después de haberse desengañado la primera vez.

¿Puede ocurrir eso? ¿Recuerda lo que Jesús dijo a sus verdaderos discípulos acerca de su venida? «Por tanto, también vosotros estad preparados; porque el Hijo del Hombre vendrá a la hora que *no* pensáis». (Mateo 24.44, énfasis añadido)

Hace que nos preguntemos si la venida del Señor bien podría ser en algún momento *después* de iniciado el nuevo milenio. Después de todo, desde ahora hasta entonces mucha, pero mucha gente estará esperando su venida. Después el número bajará en extremo.

También nos preocupa que con tanta gente interesada en profecía por falsas razones, cada Pedro, Juan y Diego va a salir con su enseñanza en particular sobre el tema y podrían recibir una amplia divulgación debido a la curva milenial. ¡Qué instrumento para Satanás! No puede cambiar la palabra profética de Dios, pero por cierto puede tratar de esconderla en un montón de basura de dos kilómetros de altura. Le pedimos que sea muy cuidadoso respecto de dónde obtiene los detalles y la enseñanza profética durante los próximos años. Y, más importante aun, asegúrese de entender lo que la Biblia *dice* y *no dice* acerca del tiempo del fin.

¿Volverá Cristo en el año 2000?

«Pero, aguarde un momento», gritarán muchos. ¿No anuncia la Biblia que el Señor vendrá alrededor del año 2000?

Esta idea, aunque huele a determinar una fecha, ha tenido amplia difusión en los años recientes por razones obvias. Aun maestros proféticos muy sólidos parecen aventurarse a determinar fechas y escenarios. En general la idea procede de un par de pasajes bíblicos y los cálculos de un hombre.

La mayoría sabemos que el libro de Génesis enseña que Dios creó los cielos y la tierra en seis días. Luego reposó el séptimo día. Algunos intérpretes toman esa pequeña información y la relacionan con un pasaje en la Segunda Epístola de Pedro donde dice: «Mas, oh amados, no ignoréis esto: que para con el Señor un día es como mil años, y mil años como un día» (2 Pedro 3.8).

Así, se argumenta que como el Señor hizo la tierra en seis días y descansó el séptimo día, la historia del mundo durará seis mil años, y luego el Señor reinará mil años que corresponden al séptimo días, el día de reposo.

Si así fuera el caso, significaría que desde el año que Dios creó la Tierra hasta el año que Jesús venga otra vez para establecer su Reino tendría que haber seis mil años. Pero para que una teoría así arroje luz sobre el año en que el Señor vuelva otra vez, necesitaría saber en qué año exactamente Dios creó la Tierra.

Los proponentes de esta categoría indican los cálculos hechos por el arzobispo James Usher en el siglo diecisiete. Usher usó pasajes bíblicos y cronologías en un esfuerzo por calcular la fecha de la creación de Adán. Llegó a la conclusión de que la Tierra se creó el año 4004 a.C. Un nuevo refinamiento de los cálculos fijó la fecha en el año 4000 a.C.

De allí surge la idea de que el Señor vendrá alrededor del año 2000. Tome el año 4000 a.C., súmele seis mil años y listo, ya lo tiene. Pero si fuera así de simple, ¿por qué preocuparse con alguna de las otras profecías tan detalladas que dio el Señor? ¿Para qué se necesitan?

El hecho es que esta teoría no se puede comprobar. En primer lugar, la combinación de dos pasajes de la Biblia en esta forma, aunque puede ser muy interesante, es una teología muy pobre. En segundo lugar, los eruditos judíos hicieron el mismo estudio y llegaron a una fecha completamente diferente para la creación; calcularon que la fecha era 3760 a.C. Y finalmente, si era tan obvio, ¿por qué Jesús dice que ni siquiera Él sabía el día y la hora de su venida?

Pero aun hay otro problema. Para que el Señor establezca su Reino y comience el período milenial el año 2000 d.C., tendrían que haber ocurrido antes el Arrebatamiento, la ascensión del anticristo y la tribulación de siete años. Ahora podemos decir en forma conclusiva que ninguna de estas cosas ocurrió en 1993.

Entonces, ¿todo es tontería? Bueno, sí, salvo por una cosa. Sobre la base de un estudio sólido de las profecías bíblicas, parece que nuestro Señor va a venir muy, muy pronto. Si es así, ¡va a ser en un momento no muy lejos del año 2000! Muy interesante, pero todavía es evidencia teológicamente inadmisible.

Quizás cuando el Señor venga sabremos la fecha exacta de la creación y los cambios ocurridos en nuestro calendario desde entonces. Tal vez descubramos que de verdad fueron seis mil años desde la fecha de la creación hasta su Segunda Venida. Pero mientras tanto, tenemos que aferrarnos a las muchas señales proféticas que el Señor nos dio, y reconocer que Él podría muy bien demorar su venida hasta después del año 2000.

¿CÓMO ENTONCES VIVIREMOS?

¿Cómo entonces deberían vivir los cristianos en este momento culminante de la historia? ¿Deberíamos unirnos a Unabomber y resistir la nueva tecnología? ¿Deberíamos retirarnos de la sociedad y tratar de apartarnos de ella?

No. Y mil veces no. Este no es el momento de subir montes. Piénsese en el daño que sectas extremistas han hecho a la causa de Cristo. Recuerde lo que dijimos antes. Satanás no puede cambiar la verdad, pero puede tratar de sepultarla en montones de extremismo y necedad que hacen que el mundo quiera huir en dirección opuesta.

Dios nos ha llamado a ser sal de la tierra. Usted no puede ser sal de la tierra si está en una montaña en algún lugar contemplando los cielos. Eso no va a alcanzar al mundo. Eso es apagar al mundo, y con razón.

Jesús dijo a sus discípulos muy claramente: «Negociad entre tanto que vengo» (Lucas 19.13). Él quiere que seamos parte de la sociedad, pero que estemos separados de los males del mundo.

Debemos ser miembros productivos, contribuyentes de la sociedad. Debemos mirar al futuro y trabajar, dentro del marco de nuestra fe, para hacer de este un mundo mejor. ¡Válgame Dios! ¿Cómo es que al cristianismo de repente se le tilda de antiambientalista? Porque nos oponemos a los que usan el tema del ambiente para lograr sus propios fines, eso no significa que debamos renunciar a proteger la creación de Dios con lo mejor de nuestras capacidades. Se nos ha dado la mayordomía del planeta.

Al mismo tiempo tenemos que estar en favor de la paz mundial, aunque entendemos claramente que no es lo mismo que la paz de Cristo. Debemos comprender lo temerosos que seríamos si no fuera por la gracia de Dios. Sin la promesa de salvación eterna, la única esperanza para este mundo es evitar la guerra y proteger el ambiente. Aunque podemos señalar una mayor seguridad eterna, debemos entender los temores y preocupaciones del mundo.

Nos preocupa la crítica presentada contra los que estudian las profecías bíblicas. Ustedes conocen una: «Tienen la cabeza tan metida en el cielo, que no sirven para la tierra». En muchos casos se han ganado esta reprimenda. Nosotros, como cristianos, debemos estar a la vanguardia de la tecnología. Necesitamos involucrarnos en todos los temas de nuestro tiempo si hemos de ser sal de la Tierra.

Por otra parte, algunos cristianos se han ido al otro extremo del camino. Han rechazado la esperanza de la venida de nuestro Señor y tratan de construir el Reino aquí en la Tierra *para* Él. El peligro es que tal actividad reduce el evangelio simplemente a otra agenda política en vez de un mensaje de salvación eterna.

Nuestra filosofía en la materia es fundamental. Creemos en el Dios de la Biblia. Creemos que su Hijo murió por nuestros pecados y que por la fe en Él podemos tener salvación eterna. Y creemos que Él viene pronto. Así seguimos en nuestras ocupaciones usando cada día hasta que Él venga. Pero cada día tenemos un ojo puesto en el cielo para acordarnos que aunque el mundo espera que ocurra algo grande, ¡eso es nada en comparación con lo que nosotros esperamos!

JUZGUE USTED

Confiamos en que este libro le haya ayudado a ver la Biblia y sus profecías de una forma completamente nueva. Si lo ha leído con la mente abierta, tiene que reconocer que la Biblia es un libro maravilloso.

¿Cómo podría alguien anunciar el futuro de esa forma? ¿Cómo podría mirar dos mil años hacia el futuro y anunciar que la generación que vería regresar a Israel a su tierra, después de su dispersión mundial y del holocausto, podría ver también el mayor salto en el conocimiento que el mundo haya visto?

¿Cómo podría saber que esta misma generación también podría producir la tecnología para cumplir la promesa de dar esencia divina a la vida mediante la realidad virtual? ¿Cómo podría saber que algo llamado televisión iba a dar al anticristo una vía para llegar al mundo con un falso evangelio?

Bueno, como se dará cuenta, la lista es larga. Pero ahora usted debe ser el juez. Recuerde siempre que aunque opte por no decidir, ya ha hecho su decisión.

Ya le hemos informado lo que se necesita para recibir la salvación eterna. Solo tiene que creer que Dios es quien Él dice que es. Solo tiene que reconocer que usted es un pecador y creer que Jesús murió por sus pecados. Solo tiene que pedirle que entre en su corazón y viva allí como su Salvador. Así, el proceso no es difícil. Usted puede decir la oración adecuada en treinta segundos. Pero eso no es lo difícil. Lo difícil es decidirse a pronunciar esas palabras con todo su corazón y toda su alma. Así, inicie ahora mismo un diálogo con Dios que sea verdadero y sincero. Si no puede imaginar que Dios existe, dígaselo. Si piensa que las cosas han sido muy duras en su vida para permitirle creer en Dios, dígaselo. No importa cómo empiece, solo empiece. Y recuerde esta promesa: «Me buscaréis y me hallaréis, porque me buscaréis de todo vuestro corazón» (Jeremías 29.13).

Otros títulos acerca de la Profecía

Editorial Caribe

EL PLACER DE UNA BUENA LECTURA